Kasia Michalska was born in Gdansk, I
the University of Gdansk with an MA ir
now lives in Edinburgh, where she wo
speakers of other languages) tutor.

Kasia Michalska urodziła się w Gdańsku. экończyła mologię
angielską na Uniwersytecie Gdańskim. Obecnie mieszka w
Edynburgu, gdzie pracuje jako lektor języka angielskiego.

KASIA MICHALSKA

A SCOTS-POLISH LEXICON

Leksykon szkocko-polski

Steve Savage
LONDON AND EDINBURGH

Steve Savage Publishers Ltd
The Old Truman Brewery
91 Brick Lane
LONDON
E1 6QL

www.savagepublishers.com

First published in Great Britain by Steve Savage Publishers Ltd 2014

ISBN 978-1-904246-42-8

Typeset by Steve Savage Publishers
Printed and bound by SRP Ltd, Exeter

The TransRoman Garamond font used to print this work is available
from Linguist's Software, Inc., PO Box 580, Edmonds, WA 98020-0580
USA tel (425) 775-1130, www.linguistsoftware.com.

MIX
Paper from
responsible sources
FSC® C014540

Contents

Przedmowa

Bardzo niewiele osób przyjeżdżających do Szkocji spodziewa się, że w kraju tym jest w użyciu jakiś inny język oprócz angielskiego. Czeka je jednak niespodzianka. Każdy odwiedzający Szkocję po niedługim czasie odkrywa, że oprócz szkockiego języka gaelickiego, obecnie używanego głównie na północy i zachodzie kraju, zwłaszcza na Hebrydach, istnieje tu jeszcze inny język – język scots. Jest on obecny właściwie na każdym kroku – w nazwach miejsc i miejscowości, nazwach pubów i sklepów, jak również w zasłyszanych na ulicy rozmowach.

Czym jest scots?

Omyłkowo uważany za lokalny dialekt angielskiego, scots jest w rzeczywistości odrębnym językiem spokrewnionym z angielskim. Zarówno scots, jak i angielski wywodzą się ze staroangielskiego i przez

Introduction

Very few people who visit Scotland expect to find any other language than English here. However, they are in for quite a surprise. The foreign visitor will soon discover that apart from Gaelic, now used mainly in the North and West of Scotland, particularly in the Western Isles, there is another language – Scots – which is present everywhere, in place names, names of pubs and shops as well as in conversations overheard in the street.

What is Scots?

Invariably mistaken for a local variant of English, Scots is in fact a separate language related to English. Both Scots and English are descended from Old English and for hundreds of years they developed in parallel. Influences of other languages can also be

setki lat rozwijały się równolegle. W scots wyraźne są wpływy innych języków: staronordyjskiego języka wikingów (pochodzą od niego słowa takie, jak (*'gleg'* czy *'trowe'*), holenderskiego (*'scone'*, *'golf'*), francuskiego (*'fash'*, *'ashet'*), gaelickiego (*'partan'*, *'glen'*), czy romskiego (*'chore'*, *'gadgie'*). W historii scots i angielskiego zachodził również odwrotny proces, tak że niektóre słowa, które znamy jako angielskie, zostały zapożyczone z języka scots (na przykład, *'eerie'* lub *'greed'*).

Do czasu reformacji z 1560 roku scots był w Szkocji językiem powszechnie używanym. Jednakże kiedy Kościół Szkocji podjął decyzję, by korzystać z Biblii w wersji angielskiej zamiast napisanej w scots, język ten zaczął tracić swoje dotychczasowe znaczenie. Dalsza marginalizacja scots nastąpiła wraz z powstaniem unii korony szkockiej i angielskiej (w 1603 roku) oraz unii

found in Scots: the language of the Vikings, Old Norse (words like 'gleg' or 'trowe'), Dutch ('scone', 'golf'), French ('fash', 'ashet'), Gaelic ('partan', 'glen'), Romany ('chore', 'gadgie'). In the history of Scots and English the reverse process has also occurred and some standard English words were originally Scots ('eerie', 'greed').

Until the Reformation of 1560 Scots was a widely-used language in Scotland. However, when the Church of Scotland decided to adopt the English version of the Bible rather than a Scots one, the status of Scots began to decline. Further marginalization of the language occurred with the union of the Scottish and English crowns (1603) and of the parliaments (1707). English became the standard language of the united country and Scots as a written language fell into disuse.

parlamentarnej Szkocji i Anglii (w 1707 roku). Oficjalnym językiem zjednoczonego królestwa stał się angielski, a scots jako język pisany zaczął wychodzić z użycia. Wskutek tego scots przetrwał głównie jako język mówiony, co tłumaczy obecny brak spójnej ortografii. Obecnie scots istnieje w wielu wariantach lokalnych – w zależności od regionu występuje inny dialekt, a to samo słowo może być zapisane na wiele różnych sposobów. W rezultacie prawie niemożliwe jest znalezienie w Szkocji jednej osoby, która używałaby wszystkich słów zawartych w tej książce. Niektórzy Szkoci rozumieją niektóre z tych słów, ale mogą nie rozumieć innych.

Czym jest ta książka?

Ponieważ jedną z największych grup mniejszościowych w Szkocji są Polacy, książka ta jest przeznaczona głównie, choć nie tylko, dla nich. Celem tej publikacji jest uświadomić

Consequently, it survived mainly as a spoken language, which explains its current lack of consistent orthography. Scots is now an immensely localized language – dialects and spellings vary considerably from region to region. As a result it is nearly impossible to find any one person in Scotland who would use all the words included in this book. Some Scottish people will understand some of these words but may not understand or use others.

What is this book?

Since one of the largest minority groups in Scotland is the Polish minority, the book is targeted mainly, though not exclusively, at Poles. The purpose of this book is to make them aware of the existence of Scots, give them an idea of what this language is and how it functions in their everyday surroundings. Personally,

Polakom istnienie języka scots, dać pewien obraz tego, czym ten język jest i w jaki sposób funkcjonuje w ich codziennym otoczeniu. Osobiście mam nadzieję, że proponowana książka pobudzi ciekawość dotyczącą Szkocji, zachęci do sięgnięcia po więcej informacji na temat tego kraju i jego kultury, jak również sprawi, że czytelnik nauczy się kilku słówek.

Pragnę zaznaczyć, że niniejsza książka nie jest słownikiem języka scots. Jest to raczej zbiór słów (i ich różnych wariantów), które może napotkać Polak mieszkający w Szkocji, zawierający słowa literackie, regionalizmy, słowa potoczne i terminy prawnicze. Słowa te pochodzą z różnych źródeł, takich jak, na przykład, szkocki korpus tekstów pisanych i mówionych, oraz ze słowników: *The Essential Scots Dictionary* i *Concise Scots Dictionary*. Lista haseł zawiera tylko znaczenia typowe dla scots; znaczenia słów, które są

my hope is that the book may arouse people's curiosity about Scotland, encourage them to learn more about the country and its culture as well as make them pick up a few Scots words.

I would like to note that this book does not at all pretend to be a dictionary of Scots. Rather, it is a selection of words and their variants which Polish people living in Scotland may come across, including standard literary Scots, regional dialects, modern demotic and legal Scots. The entries come from various sources such as, for instance, the Scottish Corpus of Texts and Speech, *The Essential Scots Dictionary* and *Concise Scots Dictionary*. Only typically Scots meanings are included, meanings which are the same in English and Scots have been ignored since the focus is on the vocabulary that may pose difficulties for learners of English.

takie same w angielskim i w scots zostały pominięte, ponieważ celem książki jest skoncentrowanie się na słownictwie mogącym stanowić problem dla osób uczących się angielskiego. Ujęłam natomiast słowa, których pisownia jest tak podobna do ich angielskich odpowiedników, że rodzimy użytkownik języka angielskiego natychmiast widzi między nimi podobieństwo (np. *'speik'* – *'speak'*, *'sei'* – *'see'*), podczas gdy dla obcokrajowca podobieństwo to nie musi być oczywiste. Pominięte też zostały słowa, które na tyle zadomowiły się w standardowym angielskim, że można je znaleźć w słowniku angielsko-polskim (takie jak *'kilt'* czy *'tartan'*). Czasowniki posiłkowe w scots (np. *'disnae'*) nie zostały przetłumaczone na polski, ponieważ ze względu na odrębną naturę polskiej gramatyki nie ma dla nich zwięzłego tłumaczenia. Ich angielskie tłumaczenie jest wystarczające dla każdego Polaka mieszkającego w Szkocji i uczącego się

However, I've included some words whose spelling is so similar to their English equivalents that native English speakers immediately connect the Scots word to the English one (such as 'speik' – 'speak', 'sei' – 'see'). That is because to the non-native speaker the similarity isn't obvious. Scots words which have found their way into standard English and can therefore be found in an English-Polish dictionary (such as 'kilt' or 'tartan'), have mostly been omitted. Scots auxiliary verbs (e.g. 'disnae') haven't been translated into Polish as due to the different nature of Polish grammar, there is no concise way of translating them. Their English translation is sufficient for any Polish person learning English and living in Scotland. Also, next to some English translations of Scots words there are abbreviations 'n', 'v' and 'adj' which stand for 'noun', 'verb' and

angielskiego. Obok niektórych tłumaczeń haseł scots na angielski znajdują się skróty: 'n', 'v' lub 'adj' oznaczające kolejno 'rzeczownik', 'czasownik' lub 'przymiotnik'.

Oprócz listy haseł w scots książka zawiera krótkie teksty, takie jak przepisy kulinarne, krótkie opisy ciekawych miejsc czy różnych typowo szkockich ciekawostek kulturalnych. Łącznikiem między listą haseł, a tekstami są same słowa. Na przykład, jeśli dane słowo, powiedzmy *'dook'*, łączy się z jakąś ciekawą informacją, po haśle *'dook'* następuje krótki tekst zawierający tę informację, w tym przypadku będzie to kilka zdań na temat *'the loony dook'*. Owe krótkie teksty to albo historyjki związane z danymi słowami, albo próby zilustrowania tego, jak dane słowa żyją wokół nas i jak są powiązane z kulturą.

'adjective' respectively. They mean that a given word has been translated as a noun, a verb or an adjective.

Apart from the list of Scots words the book contains short texts such as recipes, brief descriptions of interesting places or various typically Scottish cultural phenomena. They are linked to the glossary by the words themselves. For instance, if there is some interesting information related to a particular word, such as 'dook', a paragraph about it appears nearby – in this case a paragraph about the 'loony dook'. The texts are either little stories about particular words or illustrations of how words live around us and how they are connected to culture.

LEXICON - LEKSYKON

SCOTS	ENGLISH	POLISH
abeen	*above*	ponad, powyżej
ablow	*under, below*	pod, poniżej
aboot	*about*	1. o (czymś) 2. mniej więcej, prawie
abuin	*see* abeen	*zob.* abeen
academy	*a secondary school*	szkoła średnia
advocate	*a barrister*	obrońca, adwokat
ae	*1. one* *2. the only* *3. a certain*	1. jeden 2. jedyny 3. jakiś, pewien
aefauld	*sincere, honest*	szczery, uczciwy
afore	*before, previously*	przed, przedtem, zanim

Afore the bells

Tradycyjny szkocki bal sylwestrowy odbywający się w Queen's Hall w Edynburgu

Traditional Scottish New Year's Eve ball held at the Queen's Hall in Edinburgh

aften, aft	*often*	często
agley	*off the straight, awry, wrong*	krzywo, nie tak jak trzeba, źle
ahint	*behind*	z tyłu, za (czymś)
Aiberdeen	*Aberdeen*	
aiblins	*perhaps*	być może
aifter	*see* efter	*zob.* efter
aik	*an oak*	dąb

SCOTS	*ENGLISH*	POLISH
ain	*own (adj)*	własny
aince	*once*	kiedyś, (jeden) raz
aipple	*an apple*	jabłko

Dooking for aipples

Jedna z najbardziej popularnych tradycyjnych zabaw dla dzieci odbywających się w czasie *Halloween*. Polega ona na wyławianiu zębami jabłek pływających w miednicy pełnej wody. W 2008 roku w wielu szkołach została zakazana jako niehigieniczna.

Ducking for apples is one of the most popular traditional children's games at Halloween. It involves using one's teeth to get hold of apples floating in a basin filled with water. In 2008, it was banned as unhygienic in many schools.

airm	*an arm*	ramię, ręka
airmie	*an army*	wojsko
airn	*iron (n, adj)*	1. żelazo 2. żelazny
airt	*1. a direction* *2. the point of the compass*	1. kierunek 2. strona świata na kompasie
aits	*oats*	owies
aix	*an axe*	topór, siekera

siekiera

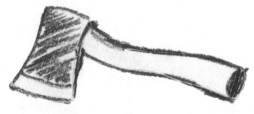

aix

SCOTS	ENGLISH	POLISH
alane	*alone*	sam
amaist	*almost*	prawie
an	*and*	i (spójnik)
an aw	*as well*	też, także
ane	*one*	jeden
anent	*concerning, about (something)*	dotyczący (czegoś), na temat (czegoś)
anither	*another*	1. jeszcze jeden 2. inny, drugi
antrin	*occasional*	sporadyczny
areddies	*already*	już
argie	*argue*	kłócić się, sprzeczać się
arnae, arna	*aren't*	
aroon, aroond	*around*	dookoła, wokół
arra	*an arrow*	strzała
ashet	*an oval serving plate*	duży płaski talerz, półmisek

półmisek

ashet

Ashypet	*see* Assiepet	*zob.* Assiepet
aside	*beside, close to*	obok, blisko
ask for	*ask after*	dopytywać się o kogoś
Assiepet, Ashypet	*Cinderella*	Kopciuszek

SCOTS	*ENGLISH*	POLISH
assoilzie	*to acquit*	uniewinnić
athort	*across*	w poprzek, na skos
atween	*between*	pomiędzy
aucht	*eight*	osiem
auld	*old*	stary

The Auld Alliance

Tradycyjne więzy łączące Szkocję i Francję, których początek sięga XIII wieku, kiedy to oba kraje uznały Anglię za wspólnego wroga. Sojusz ten wzmocnił się jeszcze za sprawą francuskich koneksji szkockiej królowej, Marii Stuart, która spędziła we Francji młodość i wyszła za francuskiego następcę tronu.

Traditional bond between Scotland and France, dating back to the beginning of the 13th century, when both countries had a common enemy in England. This alliance was further strengthened through the French connections of the Scottish queen, Mary Stuart, who spent her youth in France and married the heir to the French throne.

Auld Lang Syne

Tradycyjna szkocka pieśń śpiewana głównie w noc sylwestrową, kiedy zegar wybije północ, ale także przy rozmaitych uroczystych okazjach, takich jak pogrzeby czy imprezy pożegalne. Pieśń ta wzywa, aby pamiętać o przeszłości i o starych przyjaciołach. Bardzo popularna przede wszystkim w krajach anglojęzycznych. Autorem tekstu jest szkocki poeta, Robert Burns, a melodia zaczerpnięta jest ze szkockiej piosenki ludowej.

A traditional Scottish song sung chiefly on New Year's Eve, when the clock strikes midnight, but also at various special occasions such as funerals and leaving parties. A song that calls to mind the past and old friends. Very popular especially in English-speaking countries. The text was written by the Scottish poet Robert Burns, and the melody comes from a Scottish folk song.

auld-farrant	*old-fashioned*	staroświecki
Auld Reekie	*Edinburgh (old smoky place)*	Edynburg (Stary Kopciuch)
aw	*all, every*	1. wszystko 2. wszyscy
awfu, awfy	*1. awful* *2. very, very much*	1. okropny 2. bardzo
awn	*own (v)*	posiadać

SCOTS	ENGLISH	POLISH
awthing	*everything*	wszystko
aye, ay	*yes*	tak
aye, ay	*1. always* *2. still*	1. zawsze 2. wciąż, ciągle
ayeways, ayewis	*always*	zawsze
ba, baw	*a ball*	1. piłka 2. kula

The Kirkwall Ba'

Dość niezwykły mecz przypominający rugby, który odbywa się co roku w Wigilię Bożego Narodzenia i Nowy Rok w stolicy Orkadów, Kirkwall. Może w nim brać udział nawet 200 osób, podzielonych na dwie drużyny – *Uppies* i *Doonies*. Tradycyjnie drużyna *Uppies* składała się z mężczyzn urodzonych na południe od miejscowej katedry, a *Doonies* z urodzonych na północ od niej, jednak od lat pięćdziesiątych każdy zawodnik, niezależnie od miejsca zamieszkania, gra w drużynie, w której grał jego ojciec. Mecz zaczyna się na placu przed katedrą o godzinie 13.00 i rozgrywany jest na ulicach miasta, często będąc przyczyną drobnych aktów wandalizmu. Zespół *Doonies* wygrywa, jeśli wrzuci piłkę do wód zatoki Kirkwall, a *Uppies*, jeśli piłka dotknie muru na południowym krańcu miasta. Przeciętnie mecz trwa około pięciu godzin, ale zdarzało się, że przedłużył się nawet do ośmiu. Mimo że nie obowiązują tu żadne reguły, rzadko zdarzają się poważne kontuzje wśród graczy – częściej odnoszą obrażenia widzowie. Gdy jedna z drużyn wreszcie zdobędzie punkt, najbardziej zasłużony z jej graczy otrzyma w nagrodę piłkę, którą z dumą wystawi na widok publiczny w oknie swojego domu.

A fairly unusual game resembling rugby, played each Christmas Eve and New Year's Day in Kirkwall, the capital of Orkney. It can involve as many as 200 people, split into two teams – Uppies and Doonies. Traditionally the Uppies team consisted of men born south of the local cathedral, and the Doonies of those born north of it; but since the 1950s each player, wherever he lives, has played in the team his father played in. The match starts at the square in front of the cathedral at 1pm and is played through the town's streets, often causing minor vandalism. The Doonies win if they put the ball into the bay of Kirkwall, and the Uppies, if the ball touches the wall on the southern edge of town. The average game lasts about five hours, but it has on occasion taken as long as eight hours. Although there are no rules, there are rarely serious injuries among the players – injuries often involve spectators. When one team eventually does score, its outstanding player is awarded the ball, which he will proudly put on public view in his window.

bad, badly	*ill, not very well*	chory
baffies	*slippers*	kapcie

SCOTS	ENGLISH	POLISH
bahookie	*backside, bottom*	pupa
bairn	*a child, baby*	dziecko

We're a' Jock Tamson's Bairns

Jock Tamson to odpowiednik polskiego Jana Kowalskiego czy angielskiego Joe Bloggsa. Sformułowanie *'We're a' Jock Tamson's bairns'* może odnosić się do wszystkich Szkotów lub do całej ludzkości. W tym drugim znaczeniu można je luźno przetłumaczyć jako 'wszyscy jesteśmy dziećmi Boga' lub 'wszyscy jesteśmy tylko ludźmi'.

Jock Tamson is the equivalent of the Polish Jan Kowalski or England's Joe Bloggs. The saying 'We're a' Jock Tamson's Bairns' can relate to all the Scots or the whole of humanity. In this second sense it can be loosely translated as 'we are all God's children' or 'we are all just people'.

The Bairns

Nieoficjalna nazwa drużyny piłkarskiej z Falkirk, odnosząca się do znanego powiedzenia: *'Better meddle wi' the deil than the Bairns o' Falkirk'*, czyli 'Lepiej zadrzeć z samym diabłem niż z chłopakami z Falkirk'.

'The Bairns' is the nickname of the football team from Falkirk, referring to the well-known saying: 'Better Meddle wi' the Deil than the Bairns o' Falkirk', or 'It is better to mess with the Devil himself than the boys from Falkirk.'

---

baith	*both*	obydwaj, oboje, obie
ballop	*the fly on trousers*	rozporek
bampot	*a stupid or crazy person*	głupek, wariat
bane	*a bone*	kość

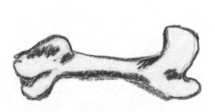

bane
kość

bannock	*round flat unsweetened cake made from oats or barley*	okrągły, niesłodzony placek z mąki owsianej lub jęczmiennej

Selkirk Bannock

Składniki:

1 torebka suszonych drożdży (7g)
1 łyżeczka bardzo drobnego cukru (caster sugar)
500g mąki
140g niesolonego masła (lub 70g masła i 70g smalcu, roztopionego i
  ostudzonego)
450g rodzynek sułtanek (można dodać też trochę skórki pomarańczowej)
50g jasnego brązowego cukru
trochę mleka do posmarowania

Sposób przyrządzenia:

1. W dużej misce rozmieszać drożdże i drobny cukier w 250ml ciepłej wody.
Odstawić na 10 minut. Wsypać mąkę i dodać 125g masła. Ciasto wyrabiać
przez 5 minut, następnie włożyć je do miski i odstawić w ciepłe miejsce do
wyrośnięcia pod przykryciem. Ciasto powinno podwoić objętość.

2. Pougniatać delikatnie ciasto przez minutę, następnie dodać rodzynki i
brązowy cukier. Rodzynki należy wgnieść równomiernie w ciasto. Resztą
masła wysmarować okrągłą blaszkę (23cm), włożyć w nią ciasto i zostawić
na 30 minut do wyrośnięcia.

3. Nagrzać piekarnik do 180 stopni (160 jeśli z termoobiegiem/bieg 4).
Posmarować ciasto mlekiem i piec 45–50 minut, aż lekko zbrązowieje. Jeśli
chcemy sprawdzić, czy ciasto jest dobrze upieczone, wystarczy puknąć w
spód blaszki – dźwięk powinien być pusty. Jeśli wierzch zbrązowieje zbyt
szybko, a środek nie będzie jeszcze upieczony, ciasto można przykryć folią
aluminiową i sprawdzić je po 5 minutach.

Ingredients:
1 bag of dried yeast (7g)
1 teaspoon very fine sugar (caster sugar)
500g flour
140g unsalted butter (or 70g of butter and 70g of lard, melted, and then cooled)
450g sultanas (you can also add a little orange peel)
50g light brown sugar
a little milk to brush on it

Method:
1. In a large bowl, mix yeast and sugar in 250ml warm water. Let stand for 10 minutes.
Pour in the flour and add 125g of butter. Knead dough for 5 minutes, then put it into a bowl
and set aside in a warm place to rise under cover. The dough should double in volume.

2. Knead the dough gently for a minute, then add sultanas and brown sugar. The sultanas
should be spread evenly throughout the cake. Grease a round cake tin (23cm) with the rest of
the butter, put the dough in it and leave it for 30 minutes to rise.

3. Preheat oven to 180 degrees (160 for a fan-assisted oven / gas mark 4). Brush the cake
with milk and bake for 45–50 minutes or until lightly browned. If you want to check if the
cake is well baked, simply tap the bottom of the tin – it should sound 'empty'. If the top has
browned too quickly, and the inside is not yet baked, it can be covered with aluminium foil and
checked after 5 minutes.

SCOTS	ENGLISH	POLISH
banshee	*a female spirit whose wail was thought to forecast death or disaster*	zjawa w kobiecej postaci, której zawodzenie zwiastuje śmierć lub inne nieszczęście
bap	*a bread roll*	bułka
barkit	*dirty, encrusted with dried-on dirt*	brudny, oblepiony zaschniętym błotem
barrie	*fine, excellent, very good, smart*	wspianały, świetny, elegancki
bauchle	*1. an old or worn-out shoe* *2. an untidy person*	1. stary, znoszony but 2. niechlujna osoba
baukie, baukie-bird	*a bat (animal)*	nietoperz

baukie
nietoperz

bauk(s)	*rafter(s) or beam(s) of a house*	krokiew
bauld	*bold*	śmiały
bawbee	*1. a coin, in old Scots money valued at sixpence, equivalent to a halfpenny sterling (16th-18th cent.)* *2. (usually bawbees) money*	1. moneta, od XVI do XVIIIw szkocka moneta o wartości sześciu pensów, warta pół pensa angielskiego 2. (zwykle bawbees) pieniądze
begeck	*disappoint, disappointment*	rozczarować, rozczarowanie

SCOTS	ENGLISH	POLISH
ben	*a mountain*	góra

Ben Nevis

Najwyższy szczyt na Wyspach Brytyjskich (1344 m n.p.m.), położony w Grampian Mountains, w pobliżu miasta Fort William. Przy idealnych warunkach pogodowych widok ze szczytu rozciąga się na około 190 kilometrów. Co roku na szczyt wchodzi około sto tysięcy osób, większość z nich korzysta z łatwej trasy (tzw. pony track) prowadzącej z Glen Nevis. Dla amatorów poważnej wspinaczki atrakcją są wysokie na 700 metrów klify na północnej ścianie góry. Na samym szczycie widać pozostałości obserwatorium meteorologicznego, które działało w latach 1883–1904. Obok obserwatorium znajduje się pomnik ofiar II wojny światowej.

Ciekawostką związaną z Ben Nevis są tradycyjne biegi na szczyt. W 1895 roku William Swan, fryzjer z Fort William, wbiegł na szczyt w czasie 2 godzin i 41 minut. Pierwszy grupowy wyścig zorganizowano 3 czerwca 1898 roku. Obecnie biegi na Ben Nevis odbywają się w pierwszą sobotę września, a bierze w nich udział nawet do 500 osób.

The highest peak in the British Isles (1,344 metres above sea level), located in the Grampian Mountains, near the town of Fort William. With ideal weather conditions, the view from the summit extends for about 190 kilometres. Every year, the peak is reached by about a hundred thousand people, most of whom use the easy route (the so-called 'pony track') leading from Glen Nevis. For lovers of serious climbing, the attraction is the 700-metre-high cliffs on the north face of the mountain. At the top you can see the remains of the meteorological observatory, which operated in the years 1883–1904. Beside the observatory is a memorial to the victims of World War II.

One interesting thing about Ben Nevis is the traditional races to the top. In 1895, William Swan, a hairdresser from Fort William, ran up to the summit in 2 hours 41 minutes. The first group race was held on 3 June 1898. Currently runs on Ben Nevis, involving up to 500 people, are held on the first Saturday of September.

besom	1. *a broom* 2. *a term of contempt for a woman*	1. miotła 2. pogardliwe określenie na kobietę
Bhoys	*nickname for Celtic football team*	potoczna nazwa drużyny piłkarskiej Celtic Glasgow
bid	*invite*	zaprosić
biddin	*an invitation*	zaproszenie
bide	*live, dwell*	mieszkać
bidie-in	*a person who lives with another of the opposite sex without marriage*	osoba, która mieszka z partnerem lub partnerką bez ślubu

SCOTS	ENGLISH	POLISH
bield	*a shelter*	schronienie
bien	*1. comfortable, cosy* *2. well off*	1. wygodny, przytulny 2. bogaty
big	*build*	budować
biggin	*a building*	budynek
bile	*boil*	gotować się, wrzeć
billie	*a fellow, lad*	facet, chłopak
Billy, Billy Boy	*nickname for a Protestant*	potoczne określenie na protestanta
bing	*a large hill-like mound of waste from a mine or quarry*	ogromny kopiec usypany z odpadów z kopalni lub kamieniołomu

Bing

Hałda odpadów przemysłowych powstająca w wyniku wydobycia, na przykład, węgla czy rud metali. *Bings* są charakterystycznym elementem krajobrazu hrabstwa West Lothian. Najbardziej znane z nich to Five Sisters i Greendykes, które zostały objęte ochroną przez organizację rządową *Historic Scotland*. W West Lothian istnieje 19 hałd, które powstały w procesie uzyskiwania ropy naftowej z wydobywanego z ziemi łupka ilastego. Metoda ta została opatentowana przez Jamesa Younga w 1851 roku. Dzięki niej przez kilka następnych lat Szkocja była znaczącym producentem ropy.

Bings stanowią unikalne środowisko naturalne dla wielu gatunków roślin i zwierząt (zamieszkują je, między innymi, pardwy szkockie, borsuki, zające, skowronki), dlatego też są bardzo ważne z punktu widzenia ekologii – na przykład hałda w Addiewell jest rezerwatem przyrody. *Bings* pełnią również funkcję rekreacyjną dla mieszkańców West Lothian – ostatnio cieszą się coraz większą popularnością wśród amatorów wspinaczki.

An industrial waste dump which is a result of mining e.g. for coal or metal ore. Bings are a characteristic element of the landscape of West Lothian. The best known of these are Five Sisters and Greendykes, which are protected by a government agency Historic Scotland. In West Lothian there are 19 tips which were raised in the process of extracting oil from shale mined from the clay soil. This method was patented by James Young in 1851. Thanks to this, Scotland was a significant oil producer over the next few years.

Bings make a unique habitat for many species of plants and animals (grouse, badgers, hares and larks, among others, live on them), and therefore are very important from the standpoint of ecology – for example, a bing in Addiewell is a nature reserve. Bings also have recreational uses for the residents of West Lothian – recently they have been becoming more and more popular among climbers.

SCOTS	ENGLISH	POLISH
bink	*a bench*	ławka
birk	*a birch*	brzoza
birl	*1. revolve, whirl*	1. kręcić się, obracać, wirować
	2. dance (v)	2. tańczyć
birr	*enthusiasm*	entuzjazm
bittie	*a bit, a small*	kawałek
black-affrontit	*offended*	urażony, obrażony
blackberry	*blackcurrant*	czarna porzeczka
black bun	*a spiced fruit cake eaten at Hogmanay*	noworoczne ciasto z nadzieniem z rodzynek i porzeczek
blae	*blue*	niebieski
blate	*modest, shy*	skromny, nieśmiały
blatter	*1. a storm of rain*	1. gwałtowny deszcz
	2. rain heavily (v)	2. lać (o deszczu)
blaud	*spoil, damage*	zespsuć, uszkodzić
bleezin, bleezin fou	*very drunk*	pijany, zalany
blether	*1. talk foolishly or too much*	1. paplać, gadać
	2. a person who talks foolishly or too much	2. gaduła
blethers	*foolish talk, nonsense*	bzdury, pusta gadanina, gadanie

Blethers

Tytuł gazetki wydawanej przez *Scottish Storytelling Centre*, które zajmuje się promowaniem i podtrzymywaniem szkockiej tradycji opowiadania historii, legend oraz mitów.

The title of a newspaper published by the Scottish Storytelling Centre, which is engaged in promoting and sustaining the Scottish tradition of telling stories, legends and myths.

blithe	*cheerful, glad*	wesoły, zadowolony
blooter	*to kick or strike with excessive force*	kopnąć lub uderzyć mocno

Black Bun

Tradycyjne szkockie ciasto podawane w sylwestra i Nowy Rok, jak również w Dzień Roberta Burnsa (Burns Night) oraz Dzień św. Andrzeja (St. Andrew's Day). Aby uzyskać właściwy smak, należy je przygotować kilka tygodni przed Nowym Rokiem, po to żeby owoce zdążyły nasączyć się alkoholem. Przez ten czas ciasto należy trzymać w próżniowym pojemniku lub puszce.

Składniki na nadzienie ciasta:

225g mąki
50g miękkiego brązowego cukru
450g suszonych porzeczek
450g rodzynek
450g sułtanek
175g skórki pomarańczowej
50g posiekanych migdałów
50g zmielonych migdałów
3 jajka
1 jajko (żółtko oddzielone od białka)
1–2 łyżki maślanki
60ml whisky lub brandy
1 łyżeczka mixed spice (mieszanka przypraw zawierająca cynamon,goździki, imbir, gałkę muszkatołową, kolendrę i kminek)
1 łyżeczka mielonego imbiru
1 łyżeczka cynamonu
pół łyżeczki pieprzu cayenne
pół łyżeczki sody
pół łyżeczki cream of tartar (jeden ze składników proszku do pieczenia)

Składniki na ciasto do black bun:

225g mąki   szczypta soli
125g margaryny   trochę zimnej wody lub mleka

Sposób przyrządzenia samego ciasta (bez nadzienia):

1. Przesiać mąkę z solą.

2. Dodać margarynę oraz odrobinę wody i wyrobić ciasto.

3. Ciasto rozwałkować cienko i uformować kwadrat.

4. Odstawić i zrobić nadzienie.

Sposób przyrządzenia black bun:

1. Wysmarować tłuszczem 2 małe blaszki do pieczenia chleba lub jedną dużą.

2. Przesiać mąkę i dodać do niej cukier, mielone migdały, przyprawę mixed spice, cynamon, mielony imbir, pieprz cayenne, sodę i cream of tartar.

3. Wsypać porzeczki, rodzynki, sułtanki, skórkę pomarańczową, siekane migdały i dobrze wymieszać.

4. Dodać ubite jajka i maślankę i wymieszać.

5. Dodać alkohol.

6. Wyłożyć blaszki rozwałkowanym ciastem – zużyć do tego tylko ²/₃ ciasta.

7. Wyłożyć nadzienie do blaszek, ubić je ciasno i wyrównać.

8. Wierzch nadzienia posmarować białkiem.

9. Resztą (¹/₃) rozwałkowanego ciasta przykryć nadzienie i zlepić brzegi.

10. Posmarować wierzch białkiem lub mlekiem.

11. Nakłuć ciasto patyczkiem do samego dna, tak aby przez dziurkę uchodziło powietrze podczas pieczenia.

12. Piec w nagrzanym piekarniku w 150°C (bieg 2) przez 2,5 godziny.

13. Aby wierzch nie zbrązowiał zbyt szybko, można w trakcie pieczenia nakryć ciasto folią aluminiową lub papierem do pieczenia.

14. Po wystygnięciu przełożyć do szczelnego pojemnika.

Podawać z whisky!

Traditional Scottish cake served on New Year's Eve, as well as Burns Night and St. Andrew's Day. To get the right taste, it should be prepared several weeks before the New Year, so that the fruit has time to soak in alcohol. During this period the dough should be kept in a vacuum container or tin.

Ingredients for the bun filling
225g flour
50g soft brown sugar
450g currants
450g raisins
450g sultanas
175g orange peel
50g chopped almonds
50g ground almonds
3 eggs
1 egg with the yolk and white separated
1–2 tablespoons buttermilk
60ml of whisky or brandy
1 tsp mixed spice
1 teaspoon ground ginger
1 teaspoon cinnamon
half teaspoon of cayenne pepper
half teaspoon of baking soda
half teaspoon cream of tartar

Ingredients for the crust to a black bun:
225g flour   *pinch of salt*
125g margarine   *a little cold water or milk*

Method – crust (without filling):
1. Sift flour with salt.

2. Add margarine and a little water and make dough.

3. Roll out dough thinly and make a square.

4. Set aside while making the filling.

Method – black bun:

1. Grease one large or two small bread tins.

2. Sift the flour and add the sugar, ground almonds, mixed spice, cinnamon, ginger, cayenne pepper, baking soda and cream of tartar.

3. Add the currants, raisins, sultanas, orange peel, chopped almonds and mix well.

4. Add beaten eggs and buttermilk and mix.

5. Add alcohol.

6. Line the bread tin or tins with the rolled-out dough (using only $^2/_3$ of the dough).

7. Put the filling into the tins, press it down and flatten the surface.

8. Brush the top of the filling with the egg white.

9. Cover the filling with the rest ($^1/_3$) of the rolled-out dough and join the edges.

10. Brush the top with milk or egg white.

11. Prick the dough down to the bottom with a skewer, so that the air escapes through the hole during baking.

12. Bake in preheated oven at 150°C (gas 2) for $2^1/_2$ hours.

13. So that the top does not brown too fast, you can cover the cake with aluminium foil or baking paper during baking.

14. When cooled, put into a sealed container.

Serve with whisky!

---

blootered	*drunk*	pijany, zalany
bluid	*blood*	krew
boak	*vomit (v)*	wymiotować
bodach	*an old man*	starszy mężczyzna
bodie	*1. a body*	1. ciało
	2. a person, a human being	2. człowiek, osoba
bogle	*a terrifying ghost*	zjawa
bonnie, bonny	*pretty, beautiful*	ładny, piękny

Bonnie Prince Charlie

Szkocki książę Charles Edward Stuart, zwany Bonnie Prince Charlie, to jedna z najbardziej znanych postaci w historii Szkocji. Ciekawostką jest fakt, że ów pretendent do tronu brytyjskiego i przywódca powstania jakobitów był synem Marii Klementyny Sobieskiej, a więc prawnukiem Jana III Sobieskiego, króla Polski.

The Scottish Prince Charles Edward Stuart, known as Bonnie Prince Charlie, is one of the most famous figures in the history of Scotland. An interesting fact is that this pretender to the throne of Britain and leader of the Jacobite uprising was the son of Maria Clementina Sobieska, and thus great-grandson of John III Sobieski, the Polish king.

SCOTS	ENGLISH	POLISH
bonspiel	a match or contest, now a curling match	mecz lub zawody, obecnie najczęściej mecz curlingu
boo	1. bow 2. bend	1. pochylić się, ukłonić się 2. zgiąć
boorach	1. muddle, mess (n) 2. a crowd, group	1. bałagan 2. tłum, grupa
bosie	1. a hug, cuddle 2. a bosom	1. uścisk, przytulenie (kogoś) 2. pierś, łono
boss	1. hollow, empty 2. without money or brains	1. pusty w środku 2. bez pieniędzy lub rozumu, głupi
bothy	a hut used as temporary shelter for mountaineers	prymitywna chatka w górach służąca jako tymczasowe schronienie dla turystów

Bothy

Bothies to domki w odludnych miejscach, najczęściej w górach, przeznaczone dla turystów indywidualnych. Nocleg w takich domkach jest darmowy, trzeba jednak liczyć się z tym, że zastaniemy w nich bardzo prymitywne warunki – brak prądu, bieżącej wody, łóżek, ogrzewania, a nawet toalety. Domki tego typu znajdują się pod opieką fundacji odpowiedzialnej za utrzymywanie ich w przyzwoitym stanie. Na internetowej stronie fundacji (www.mountainbothies.org.uk) można znaleźć, między innymi, mapkę z zanaczonymi domkami i regulamin ich użytkowania.

Bothies are huts in remote areas, mostly in the mountains, designed for individual travellers. Staying overnight in such huts is free, but you need to take into account that they offer very primitive conditions – no electricity, running water, beds, heating, or even toilets. This type of hut is looked after by a foundation responsible for keeping them in decent condition. At the foundation's website (www.mountainbothies.org.uk) you can find a map of such huts and rules for their use.

bouk	1. the body of a person 2. bulk, size, quantity	1. ciało 2. rozmiar, ilość
boy	a man of any age, a bachelor still living with his parents	mężczyzna, kawaler mieszkający z rodzicami

Electric Brae

Przy drodze A719, pomiędzy Dunure, a Croy Bay w hrabstwie Ayrshire, znajduje się niezwykła atrakcja turystyczna. Kiedy jadąc samochodem puścimy hamulec, mamy wrażenie, że auto samo jedzie dalej, mimo że droga prowadzi pod górę. Dzieje się tak dlatego, że układ terenu w tym miejscu wywołuje złudzenie optyczne – wydaje się, że szosa biegnie pod górę, gdy tymczasem tak naprawdę prowadzi w dół. Nazwa 'elektryczne wzgórze' pochodzi z czasów, kiedy przypisywano to zjawisko polu elektrycznemu bądź magnetycznemu.

On the A719, between Dunure and Croy Bay, Ayrshire, there is a remarkable tourist attraction. On releasing the brake of a car, we get the impression that the car just keeps on going, despite the fact that the road is going uphill. This is because the layout of the site at this point produces an optical illusion – it seems that the road is going uphill, but in fact it is downhill.

The name 'Electric Brae' dates back to the days when the phenomenon was attributed to an electric or magnetic field.

Skara Brae

Skara Brae to najważniejsze odkrycie archeologiczne na Orkadach, zwane 'szkockimi Pompejami'. Jest to pozostałość osady z epoki późnego neolitu, zamieszkiwanej mniej więcej między rokiem 3200 a 2200 p.n.e. Ponieważ osada ta jest starsza niż Stonehenge czy piramidy i zachowała się w wyjątkowo dobrym stanie, wpisano ją na Listę światowego dziedzictwa UNESCO.

Skara Brae is the most important archaeological discovery in Orkney, known as the 'Scottish Pompeii'. It comprises the remains of a settlement from the late Neolithic Period, inhabited between approximately 3200 and 2200 BCE. Since the settlement is older than Stonehenge or the pyramids and has been preserved in exceptionally good condition, it is a UNESCO World Heritage Site.

brae	1. *hillside*	1. stok
	2. *a steep bank of a river or lake*	2. stromy brzeg rzeki lub jeziora
braid	*broad*	szeroki
braith	*breath*	oddech
brammle	*a blackberry*	jeżyna
braw	1. *fine, excellent*	1. wspianały, przyjemny
	2. *good-looking*	2. przystojny
	3. *brave*	3. odważny
braxy	*a fatal intestinal disease of sheep*	zapalenie jelit u owiec
bree	*stock, soup*	wywar, zupa
breeks	*trousers*	spodnie

It's a Braw Bricht Moonlicht Nicht the Nicht

Szkocki 'chrząszcz brzmi w trzcinie' czy 'stół z powyłamywanymi nogami', zdanie rzekomo trudne do wymówienia dla obcokrajowców, demonstrujące brzmienie typowo szkockiego dźwięku 'ch', nie występującego w języku angielskim.

Jeśli potrafisz to zdanie wypowiedzieć poprawnie, jesteś prawdziwym Szkotem. Może to również znaczyć, że zachowałeś jeszcze odrobinę trzeźwości... Zdanie pochodzi z piosenki Harry Laudera 'Wee Deoch and Doris'.

A Scottish tongue-twister, and a sentence supposedly difficult for foreigners to pronounce, showing off the typically Scottish 'ch' sound, which is not found in English.

If you can say this sentence correctly, you are a true Scot. Also, it means you are not completely incapacitated through drink! The sentence comes from a Harry Lauder song 'Wee Deoch and Doris.'

Galashiels Braw Lads Gathering

Odbywająca się w ostatnim tygodniu czerwca, kilkudniowa impreza upamiętniająca najważniejsze wydarzenia w historii miasta Galashiels. Po raz pierwszy zorganizowana w 1930 roku. Najważniejszym punktem tej imprezy jest moment, kiedy grupa jeźdźców, którym przewodzi *braw lad* ('dzielny kawaler'), udaje się w miejsca ważne dla historii miasteczka, a w każdym z nich ma miejsce symboliczna ceremonia. Na przykład w Netherdale, przy Raid Stane, każdy jeździec otrzymuje od swojej dziewczyny gałązkę śliwy. Przypomina to o tym, jak w 1337 roku w tym właśnie miejscu, gdzie niegdyś było pole dzikich śliwek, mężczyźni z Galashiels rozgromili grupę angielskich żołnierzy.

Taking place over several days in the last week of June, the gathering commemorates significant events in the history of Galashiels. It was first organized in 1930. The highlight of the gathering is the moment when a group of horsemen, led by the braw lad ('a brave young man'), rides to places that are important in the history of the town, and at each one there is a symbolic ceremony. For example, at the Raid Stane in Netherdale each rider receives a plum tree sprig from his girlfriend. This harks back to how in 1337 the men of a Galashiels band routed English soldiers at this place, where there used to be a field of wild plums.

breenge	*rush forward, plunge*	rzucić się, ruszyć przed siebie
breid	*bread*	chleb
breird, braird	*1. the first shoots of grain* *2. sprout, germinate*	1. kiełki zboża 2. kiełkować
bricht	*bright*	jasny, jaskrawy

SCOTS	*ENGLISH*	POLISH
bridie, Forfar bridie	*semi-circular pasty with* *a filling of onions and* *minced meat (especially* *associated with the town* *of Forfar)*	rodzaj dużego pasztecika nadziewanego mielonym mięsem (pochodzący z miasteczka Forfar)

Bridies

Rodzaj paszteci017ów. Nazwa pochodzi od nazwiska kobiety, która pierwsza je sprzedawała – Maggie Bridie.

Składniki na 6 bridies:

700g chudej mielonej wołowiny
2 czubate łyżki łoju lub masła lub margaryny
1 lub 2 cebule drobno posiekane
1 łyżeczka mielonej gorczycy (dry mustard powder)
ok. 60ml bulionu wołowego
sól i pieprz do smaku
135g ciasta francuskiego (gotowe w rolce)

Sposób przyrządzenia:

Do mięsa mielonego dodać sól, pieprz, gorczycę, cebulę, tłuszcz oraz bulion i dobrze wymieszać. Podzielić farsz i ciasto francuskie na 6 części. Każdy kawałek ciasta powinien być okrągły (15cm średnicy) i gruby na ok. 0,5 cm. Na środek położyć farsz, zwilżyć wodą zewnętrzny brzeg połowy ciasta i zawinąć je. Skleić i pokarbować brzegi. Na wierzchu zrobić maleńkie rozcięcie, żeby para uchodziła podczas pieczenia. Posmarować blaszkę tłuszczem i ułożyć bridies tak, aby się nie stykały. Piec w nagrzanym piekarniku w temperaturze 230°C (bieg 8) przez pierwsze 15 minut, a później zmniejszyć temperaturę do 180°C (bieg 4) i piec jeszcze przez 45–55 minut.

Type of pasty. The name comes from the name of the woman who first sold them – Maggie Bridie.

Ingredients for 6 bridies:
700g lean minced beef	*135g puff pastry (ready to roll)*
2 heaped tablespoons of suet, butter	*1 teaspoon mustard powder*
* or margarine*	*approximately 60ml beef stock*
1 or 2 onions, finely chopped	*salt and pepper to taste*

Method:
To the minced meat add salt, pepper, mustard, onions, fat and broth and mix well. Divide the filling and puff pastry into 6 pieces. Each piece of the dough should be round (15cm diameter) and about 0.5cm thick. Put the stuffing in the middle, moisten the outer edge of half of the dough with water and fold it over. Stick and crimp the edges. At the top make a tiny incision so that the hot air escapes through the hole during baking. Grease a baking sheet and place the bridies on it so they do not touch. Bake in preheated oven at 230°C (gas mark 8) the first 15 minutes, then reduce temperature to 180°C (gas 4) and bake for another 45–55 minutes.

bridie

brig	*a bridge*	most
brither	*a brother*	brat

Auld Brig w Stirling

Most w Stirling, znany pod nazwą *Auld Brig* (stary most), to miejsce, gdzie Sir William Wallace 11 września 1297 roku odniósł słynne zwycięstwo nad Anglikami w pierwszej wojnie o niepodległość Szkocji.

The bridge in Stirling known as the Auld Brig is the place where, on 11 September 1297, Sir William Wallace enjoyed a famous victory over the English in the Scottish War of Independence.

31

Broch

Typowo szkockie budowle w kształcie wieży wznoszone w epoce żelaza. Najwięcej takich budowli znajduje się na Szetlandach, Orkadach i Hebrydach oraz na północy kraju – w hrabstwie Caithness i Sutherland. *Brochs* budowane były z kamienia, bez użycia zaprawy; składały się z podwójnego muru o grubości ok. 3 metrów; średnica wewnętrznego okręgu wynosiła od 5 do 15 metrów. Wolną przestrzeń w środku wykorzystywano na pomieszczenia gospodarcze

Wnętrze budowli typu *broch*.
Interior of a broch.

bądź mieszkalne. Archeologom nie udało się w stu procentach potwierdzić żadnej z wielu teorii dotyczących funkcji, jaką mogły pełnić *brochs*. Wydaje się jednak prawdopodobne, że budowano je w celach obronnych oraz komunikacyjnych, jako że często znajdowały się na tyle blisko siebie, że ich mieszkańcy mogli przekazywać sobie informacje o ewentualnym niebezpieczeństwie. Najlepiej zachowany, sięgający aż 13 metrów *broch* można zobaczyć na wyspie Mousa na Szetlandach.

Typically Scottish tower-shaped buildings erected during the Iron Age. Most of these buildings are located in Shetland, Orkney and the Western Isles and in the north of the country – in Caithness and Sutherland. Brochs were built of stone, without mortar, consisting of a double wall about 3 metres thick, the diameter of the inner circle ranging from 5 to 15 metres. The free space in the middle of this area was used either for work or for habitation. Archaeologists have not absolutely confirmed any of the many theories about the possible function of brochs. But it seems likely that they were built for purposes of defence and communication, as they were often so close together that their residents could communicate any information about possible dangers. The best preserved broch, rising to 13 metres, can be seen on the island of Mousa in Shetland.

broch	1. *a borough*	1. miasto, okręg miejski
	2. *a late prehistoric structure in the shape of a round tower*	2. prehistoryczna budowla w kształcie wieży
	3. *a halo round the sun or the moon*	3. poświata wokół słońca lub księżyca
▶the Broch	*Fraserburgh*	
brock	*a badger*	borsuk

SCOTS	ENGLISH	POLISH
broon	*brown*	brązowy

The Broons

Kultowy komiks pisany w Scots, opowiadający o życiu zwykłej, szkockiej rodziny. Ukazuje się w odcinkach w gazecie *The Sunday Post* od 1936 roku.

A cult comic strip written in Scots, describing the life of an ordinary Scottish family. It has been published in sections in the weekly newspaper The Sunday Post *since 1936.*

| broonie | *a good fairy helping in the household* | dobry duszek zamieszkujący dom i pomagający w pracach domowych |
| brose | *oatmeal with hot water and butter* | płatki owsiane na wodzie |

Atholl Brose

Nie wiadomo, od jak dawna w Szkocji pije się Atholl brose, ale najstarszy znany przepis pochodzi z roku 1475. Podobno niegdyś napój ten bywał stosowany jako lek na przeziębienie.

Istnieje legenda, która niejako potwierdza wyborny smak tego likieru. Otóż dawno temu niejaki Iain MacDonald, przywódca powstania przeciwko królowi Szkocji, zatrzymał się przy swej ulubionej studni, by ugasić pragnienie. Nie wiedział jednak, że hrabia Atholl, zwolennik króla, napełnił wcześniej studnię likierem. Nowy smak wody tak bardzo przypadł Iainowi do gustu, że buntownik zapomniał o bożym świecie i dał się złapać.

Różne odmiany tego likieru można kupić w sklepach w Szkocji. Najlepiej jednak zrobić go samemu. Atholl brose nadaje się do picia zaraz po przyrządzeniu, ale smak będzie zdecydowanie lepszy, jeśli odstawimy go na tydzień. Atholl brose jest bardzo słodki, dlatego dobrze podawać go z lodem, colą lub z ginger beer. W Szkocji często serwowany jest na sylwestra.

Składniki:

butelka szkockiej whisky
pojemnik (269ml) tłustej słodkiej
śmietanki (double cream)

450g płynnego szkockiego miodu
białka z 6 jajek
garść drobnych płatków owsianych

Sposób przyrządzenia:

1. Płatki owsiane zalać whisky.

2. Ubić białka na sztywną pianę.

3. Wlać śmietankę do białek.

SCOTS	*ENGLISH*	POLISH

4. Dodać miód.

5. Powoli dolać whisky z płatkami.

6. Przelać do butelki i odstawić na tydzień. Codziennie wstrząsnąć butelką.

It is not known how long Atholl Brose has been drunk in Scotland, but the oldest known recipe comes from 1475. Apparently this drink was once often used as a medicine for colds.

There is a legend which goes to confirm the delicious taste of this liqueur. Long ago a man named Iain MacDonald, the leader of an uprising against the king of Scotland, stopped at his favourite well to quench his thirst. He did not know, however, that the Earl of Atholl, a supporter of the king, had previously filled the well with liqueur. Iain liked the taste of the new water so much that the rebel lowered his guard and was caught.

Different varieties of the liqueur can be purchased in shops in Scotland. Better yet, do it yourself. Atholl Brose is drinkable immediately after it has been made, but it will taste much better if it is left for a week. Atholl Brose is very sweet, so goes well with with ice, cola or ginger beer. In Scotland it is often served on New Year's Eve.

Ingredients:
a bottle of Scotch whisky
a container (269ml) of double cream
450g Scottish liquid honey

6 egg whites
a handful of fine oatmeal

Method:
1. *Soak the oatmeal with the whisky.*

2. *Beat the egg whites until stiff.*

3. *Pour the cream into the egg-white mixture.*

4. *Add the honey.*

5. *Slowly add the whisky and oatmeal.*

6. *Pour the liquid into a bottle and leave for a week, shaking the bottle every day.*

---

broth	*soup*	zupa
bubbly jock	*a turkey*	indyk
bucket	*a dustbin*	śmietnik
buffs	*lungs*	płuca
buik	*a book*	książka
buird	*a table*	stół
bum	*hum, buzz (n)*	brzęczenie, szum
bumbazed	*perplexed, confused*	zdumiony, zdziwiony
bumbee	*a bumblebee*	trzmiel
bummer	*a siren, hooter*	syrena (np. w fabryce)
burd	*a bird*	ptak
burn	*a stream, brook*	srtumień, rzeczka
buroo	*1. the dole*	1. zasiłek dla bezrobotnych
	2. a job centre	2. urząd pracy

SCOTS	ENGLISH	POLISH
buss	*a bush*	krzak
butterflee	*a butterfly*	motyl
butterie, butterie rowie	*a bread roll made of croissant-like dough (comes from Aberdeen)*	bułka z ciasta francuskiego (pochodząca z Aberdeen)

Butterie (zwana również *rowie*)

Rodzaj bułki (słonej i tłustej!), którą w Szkocji często je się na śniadanie. Butterie wymyślono w latach osiemdziesiątych dziewiętnastego wieku w Aberdeen. Dzięki dużej zawartości tłuszczu butteries dłużej zachowywały świeżość, dlatego rybacy chętnie zabierali je w morze zamiast zwykłych bułek.

Przepis na butteries z Aberdeen

Składniki:

250g masła
125g smalcu
1 łyżeczka brązowego cukru
500g mąki

2 łyżeczki suszonych drożdży
450ml ciepłej wody
szczypta soli

Sposób przyrządzenia:

1. Drożdże, cukier i odrobinę ciepłej wody wymieszać i odstawić.

2. Wymieszać mąkę z solą, a kiedy drożdże zaczną 'bąbelkować', wymieszać je z mąką, wyrobić ciasto i odstawić, aby wyrosło.

3. Masło i smalec utrzeć na jednolitą masę i podzielić na trzy porcje.

4. Kiedy ciasto dwukrotnie zwiększy objętość, należy je ugnieść, a następnie rozwałkować na prostokąt o grubości około 1 cm.

5. Rozsmarować jedną porcję masła ze smalcem na dwóch trzecich powierzchni rozwałkowanego ciasta.

6. Nieposmarowaną część zawinąć na posmarowaną, a przeciwległy brzeg prostokąta zawinąć na wierzch, tak aby powstały 3 warstwy. Rozwałkować znowu na prostokąt.

7. Odstawić na 40 minut.

8. Czynności opisane w punktach 5–7 powtórzyć jeszcze dwa razy.

9. Pociąć ciasto na 16 okrągłych kawałków i ułożyć na blaszce.

10. Odstawić na 45 minut, żeby jeszcze bardziej wyrosły, piec 15 minut w temperaturze 200°.

Butterie (also called a rowie)

A type of bread rolls (salty and greasy!), which are often had for breakfast in Scotland. The Butterie was invented in the 1880s in Aberdeen. With their high fat content, butteries stayed fresh longer, so fishermen preferred to take them to sea instead of the usual rolls.

SCOTS	*ENGLISH*	POLISH

Recipe for butteries from Aberdeen:

ingredients:

250g butter	*2 teaspoons dry yeast*
125g lard	*450ml hot water*
1 teaspoon brown sugar	*pinch of salt*
500g flour	

Method:

1. *Mix yeast, sugar, and a little warm water and set aside.*

2. *Mix flour with salt, and when the yeast begins to froth, mix it with the flour to make a dough and set aside to rise.*

3. *Mix butter and lard well together and divide into three portions.*

4. *When the dough doubles in volume, it should be given a good knead, and then rolled out into a rectangle about 1 cm thick.*

5. *Spread one portion of butter and lard on to two-thirds of the rolled dough.*

6. *Fold the remining third of the dough over onto the butter mixture and fold the other bit over – giving three layers. Roll out again into a rectangle.*

7. *Let stand for 40 minutes.*

8. *Steps 5 to 7 repeated twice more.*

9. *Cut the dough into 16 round pieces and place on baking tray.*

10. *Let stand for 45 minutes to rise even more, bake 15 minutes at 200°.*

SCOTS	ENGLISH	POLISH
bygane	*1. the past* *2. belonging to past time*	1. przeszłość 2. przeszły, miniony
byke	*a wasps' nest*	gniazdo os
byordinar	*extraordinary*	niezwykły
byre	*a cowshed*	obora
caber	*a heavy pole*	kłoda, drąg

Caber Tossing

Caber tossing czyli 'rzut kłodą' to tradycyjna szkocka konkurencja sportowa, uprawiana podczas *Highland Games*. Zawodnik trzyma kłodę pionowo, po czym rzuca nią tak, aby obróciła się o 180 stopni. Kłoda jest najczęściej z modrzewia, waży ok. 80 kg i jest długa na ok. 6 metrów. Ta niezwykła konkurencja podobno wzięła się stąd, że dawniej szkoccy górale musieli sprawnie przerzucać kłody między rozpadlinami, aby móc poruszać się po górach.

Caber tossing is a traditional Scottish sporting competition, performed during Highland Games. The contestant holds a log upright, and then throws it so that it turns 180 degrees. The log is usually made from a larch tree, weighs about 80 kilos and is about 6 metres long. This unusual competition supposedly developed from the need to toss logs across mountain chasms to cross them.

SCOTS	ENGLISH	POLISH
ca canny, ca cannie	*be careful*	ostrożnie, uważaj
cahootchie	*rubber (n)*	guma (materiał)
cailleach	*an old woman*	stara kobieta

Cailleach

W folklorze szkockim jest to stara kobieta, wiedźma uosabiająca zimę. Co roku odradza się w *Halloween* (31 października) i przynosi światu śnieg i mróz. Jest także opiekunką zwierząt podczas zimy. Według niektórych legend ma moc tworzenia gór i dolin. Jej czas na ziemi kończy się w przedzień celtyckiego święta *Beltane*, oznaczającego początek lata (1 maja), kiedy to *cailleach* zamienia się w kamień.

In Scottish folklore the Cailleach is an old woman, a witch personifying the winter. She is reborn every year on Halloween (31 October) and brings snow and frost to the world. She is also the protector of animals during the winter. According to some legends, the Cailleach has the power to create mountains and valleys. Her time on earth ends the day before Beltane Celtic festival, which marks the beginning of summer (1 May), when the Cailleach turns to stone.

cairn	*a pile of stones often marking a summit*	kopiec usypany z kamieni, najczęściej na szczycie góry

Cairn

Jest to stożek usypany z kamieni, najczęściej służący do oznaczenia szczytu wzgórza. Od niepamiętnych czasów *cairns* funkcjonowały również jako zaznaczenie miejsca pochówku. Przykładem tak oznaczonych grobowców są The Nether Largie Cairns w Kilmartin Valley w hrabstwie Argyll. Najstarszy kopiec typu *cairn* ma ok. 40 metrów średnicy i kryje dużą komorę grobową z epoki neolitu (4000–3500 lat p.n.e.).

This is a conical pile of stones, usually marking the summit of a hill. Since time immemorial, cairns also served to mark burial sites. An example of such a site is the Nether Largie Cairns in Kilmartin Valley in Argyll. The oldest cairn there is a mound about 40 metres in diameter within which lies a large burial chamber of the Neolithic period (4000–3500 BCE).

Cairn o' Mohr Winery

Szkocka winiarnia produkująca tradycyjną metodą wina domowe, najczęściej z jeżyn lub malin.

A Scottish winery producing domestic wines, mostly from blackberries or raspberries, by traditional methods.

Cairn Terrier

Blisko spokrewniony z jedną z najstarszych szkockich ras terierów, Skye terierem. Jako odrębna rasa o tej nazwie oficjalnie istnieje od 1912, przedtem znany był jako krótkowłosy Skye terrier.

Te nieduże pieski były pierwotnie wykorzystywane do polowań pośród *cairns*, czyli stosów kamieni. Cairn terriers szczególnie dobrze nadają się do polowań na szczury i myszy, tak więc z powodzeniem mogą zastąpić w domu kota.

Closely related to one of the oldest Scottish terrier breeds, the Skye terrier. Previously known under the name of short-haired Skye terrier, it was recognized as a separate breed in 1912.

These small dogs were originally used to hunt among cairns, or piles of stones. Cairn terriers are particularly well suited to hunting rats and mice, so they may well replace the domestic cat successfully.

cairngorm   *a yellowish, semi-precious stone*   kwarc dymny

Cairngorms

Pasmo górskie położone w północno-wschodniej Szkocji, częściowo w obrębie Cairngorms National Park, nawiększego i najbogatszego pod względem przyrodniczym parku w Wielkiej Brytanii. Najwyższym szczytem w Cairngorms jest Ben Macdui (1309m), drugi co do wysokości szczyt w Wielkiej Brytanii. Na terenie parku znajduje się jezioro Loch Avon, najwyżej położone jezioro na Wyspach (726m n.p.m.). Park słynie z pięknych, dramatycznych krajobrazów, dzięki którym porównywany jest często do norweskiego parku narodowego Hardangervidda.

Jedną z najbardziej znanych miejscowości turystycznych w tym rejonie jest Kingussie. W pobliżu tego miasteczka położony jest Highland Wildlife Park, na terenie którego znajduje się park safari, gdzie można zobaczyć, między innymi, wilki oraz jedyne w Wielkiej Brytanii niedźwiedzie polarne, o imionach Walker i Arktos.

A mountain range in north-east of Scotland, partly lying within the Cairngorms National Park, the biggest park in Britain and also the richest one in terms of fauna and flora. The highest peak in the Cairngorms is Ben Macdui (1,309m), the second highest peak in Britain. The park's Loch Avon is the highest lake in Britain (726m above sea level). The park is famous for its beautiful, dramatic scenery, for which it is often compared to Norway's Hardangervidda National Park.

One of the most famous tourist destinations in this region is Kingussie. Near this town is the Highland Wildlife Park, a safari park where you can see, among other sights, wolves and the only polar bears in Britain — Walker and Arktos.

SCOTS	ENGLISH	POLISH
caller	*fresh*	świeży
cannie, canny	*careful, cautious*	1. uważny, ostrożny 2. uważnie, ostrożnie
canna, cannae	*can't*	
cantie	*1. pleasant, cheerful* *2. comfortable*	1. przyjemny, wesoły 2. wygodny
cantrip	*a spell, magic charm*	urok, czary
carle	*a man, a fellow, a chap*	mężczyzna, facet
carline	*a witch*	wiedźma
carlin stane	*a natural stone associated* *with witches*	głaz, duży kamień, z którym wiążą się legendy o czarownicach
carnaptious	*grumpy, bad-tempered*	marudny, w złym humorze
carry-out, cairry-oot	*take-away*	jedzenie na wynos
cauld	*cold (adj, n)*	1. zimny 2. zimno
cauldrife	*indifferent*	obojętny, nieczuły
caw, ca	*call (v)*	1. wołać, zawołać, wzywać 2. nazywać
ceilidh	*an organised evening* *entertainment of Scottish* *music and dance, or an* *informal get-together of* *song, music and stories*	wieczór tradycyjnej muzyki i tańca szkockiego
chaft	*1. a cheek* *2. a jaw*	1. policzek 2. szczęka
champit tatties	*mashed potatoes*	purée z ziemniaków, tłuczone ziemniaki
chap	*knock (v)*	pukać
chat	*impudence, impertinent talk*	bezczelność
chaumer	*a room, bedroom*	pokój, pomieszczenie, sypialnia, izba
cheatrie	*cheating, fraud*	oszustwo
cheer	*a chair*	krzesło
chiel	*a young man, fellow*	facet
chitter	*shiver*	trząść się, drżeć
chookie	*a chicken*	kurczak
chore	*steal*	kraść
clachan	*a small village*	mała wioska, osada

SCOTS	ENGLISH	POLISH
claes	clothes	ubrania
►It's back tae auld claes and parritch the morn	It's back to the usual routine tomorrow	Jutro wracamy do szarej codzienności (np. po urlopie)
claik	gossip, chat (n, v)	1. gawędzić, plotkować 2. pogaduszki, plotki
claith	cloth	tkanina, materiał
clanjamfrie	a crowd of people, riff-raff	tłum, motłoch
clapshot	potatoes and swede mashed together	purée z ziemniaków i brukwi

Clapshot

Prosty dodatek do obiadu, najczęściej podawany z haggisem. Pierwotnie jadany na Orkadach.

Składniki:

500g gotowanych ziemniaków
500g gotowanej brukwi
2 łyżki posiekanego szczypiorku
sól i pieprz
4 łyżki masła

Ugnieść i wymieszać ziemniaki z brukwią, kiedy są jeszcze gorące. Dodać szczypior, masło, pieprz i sól.

A simple side dish, usually served with haggis. Originally eaten on Orkney.

Ingredients:
500g of boiled potatoes   *Salt and pepper*
500g of boiled swede   *4 tablespoons butter*
2 tablespoons chopped chives

Mash the potatoes with the swede while still hot. Add the chives, butter, pepper and salt.

clart	mud, dirt	błoto, brud
clarty	dirty, muddy	brudny, zabłocony
clash	gossip	plotki, gadanie
clatter	gossip	plotki, gadanie
cleck	1. hatch 2. invent, conceive	1. wykluć się 2. wynaleźć, wymyślić
cleg	a horsefly	ślepak, mucha końska
cleuks	claws	pazury, szpony
clink	money, cash	pieniądze, gotówka

SCOTS	ENGLISH	POLISH
clishmaclaver	*gossip, idle talk*	plotki, pogaduszki
cloot	*a cloth*	szmatka, ścierka
clootie dumpling	*a kind of rich fruit pudding, boiled or steamed in a cloth*	rodzaj puddingu gotowany w szmatce

Clootie Dumpling

Pudding z bakaliami gotowany w ściereczce. Podawany na specjalne okazje, takie jak urodziny, Nowy Rok czy Boże Narodzenie. Dawniej często wrzucano do ciasta monetę lub inny drobny przedmiot, który miał przynieść szczęście temu, kto go znalazł na swoim talerzu.

Składniki:

125g łoju (suet)
250g mąki
125g płatków owsianych
250g rodzynek sułtanek i suszonych porzeczek
1 łyżka golden syrup
75g cukru
2 ubite jajka
1 łyżeczka mielonego imbiru
1 łyżeczka proszku do pieczenia
1 łyżeczka cynamonu
4 łyżki mleka
1–2 łyżki mąki do posypania
ściereczki

Sposób przyrządzenia:

1. Łój wymieszać z mąką, dodać płatki owsiane, proszek do pieczenia, rodzynki , porzeczki, imbir i cynamon. Dobrze wymieszać, dodać jajka i syrop, a na końcu mleko.

2. Śierkę zanurzyć na chwilę we wrzątku, rozłożyć na blacie i posypać mąką. Położyć ciasto na środek i luźno zawiązać rogi ścierki tak, aby ciasto mogło urosnąć podczas gotowania.

3. Na dnie głębokiego garnka położyć talerzyk odwrócony do góry dnem, na nim postawić ciasto, zalać wrzątkiem i na małym gazie gotować 3 godziny.

Można podawać na ciepło z custard, lodami lub gęstą słodką śmietaną.

A suet pudding with raisins cooked in a cloth. Served on special occasions such as birthdays, New Year or Christmas. In the past, a coin or other small object was often put into the dough. It was supposed to bring good luck to the person who found it on their plate.

Ingredients:
125g of suet
250g flour

41

SCOTS	*ENGLISH*	POLISH

125g rolled oats
250g dried raisins, sultanas and currants
1 tbsp golden syrup
75g sugar
2 eggs, beaten
1 teaspoon ground ginger
1 teaspoon baking powder
1 teaspoon cinnamon
4 tablespoons milk
1–2 tablespoons of flour to sprinkle on the cloth

Method:
1. *Mix suet with flour, add oatmeal, baking powder, raisins, currants, ginger and cinnamon. Mix well, add eggs and syrup, and finally the milk.*

2. *Dip a cloth briefly in boiling water, spread out on the worktop and sprinkle with flour. Place the dough in the middle and tie the corners of the cloth loosely so that the dough can expand during cooking.*

3. *Put an upside-down saucer at the bottom of a deep pan, put the dough on it, pour boiling water in and cook over a low gas for 3 hours.*

Can be served hot with custard, ice cream or a thick sweet cream.

SCOTS	ENGLISH	POLISH
close	1. *an enclosure, courtyard* 2. *a passageway, alley*	1. podwórze, dziedziniec 2. wąska alejka, przejście
cludgie	*a toilet*	toaleta
clype	1. *tell tales, inform* 2. *a tell-tale*	1. donosić, skarżyć 2. donosiciel, skarżypyta
Coatbrig	*Coatbridge*	
cock-a-leekie	*chicken and leek soup*	rodzaj rosołu
cod	*a cushion, pillow*	poduszka
coff	*buy*	kupować
collieshangie	*a noisy quarrel, uproar*	awantura, zamieszanie
collogue	*a discussion*	dyskusja
common stair	*communal staircase*	klatka schodowa
conceit	*an idea, opinion, notion*	idea, opinia, koncepcja
▶to hae a guid conceit o yersel	*to be smug*	być zadowolonym z siebie
connach	*waste, spoil*	marnować, niszczyć, psuć
conter	*oppose, contradict*	przeciwstawić się
convoy	*escort, accompany*	towarzyszyć komuś
coo	*a cow*	krowa
coont	*count*	liczyć

Cock-a-Leekie Soup

Szkocki rosół podawany z okazji Dnia Roberta Burnsa, Dnia św. Andrzeja lub sylwestra. Przepis na cock-a-leekie soup znany był już w XVI wieku.

Składniki:

cały kurczak (lub kilka kawałków)
400g pora
100g ugotowanych suszonych śliwek (bez pestek)
25g ryżu
2 litry bulionu
łyżeczka brązowego cukru
sól, pieprz, liść laurowy, tymianek, zielona pietruszka
3 plasterki bekonu (posiekane)

Kurczaka zalać bulionem i zagotować. Zebrać pianę z wierzchu. Gotować godzinę. Pokroić por na kawałki o grubości 2cm i wrzucić do rosołu razem z liściem laurowym i tymiankiem. Gotować jeszcze 2 godziny. Dodać sól, pieprz i ewentualnie bekon. Wyjąć kurczaka i liść laurowy, odkroić tylko tyle mięsa, ile chcemy mieć w zupie, i dodać je na końcu. Wrzucić ryż i suszone śliwki i gotować jeszcze przez ok. 20 minut. Posypać pietruszką i podawać z chlebem.

Scottish broth served on Burns Night, St. Andrew's Day or New Year's Eve. A recipe for a cock-a-leekie soup was known as early as the sixteenth century.

Ingredients:

A whole chicken (or several pieces)	*2 litres of stock*
400g leeks	*1 teaspoon brown sugar*
100g cooked prunes (pitted)	*salt, pepper, bay leaf, thyme, parsley*
25g rice	*3 slices of bacon (chopped)*

Put the chicken and stock in a pot and boil. Skim the foam from the top. Boil for one hour. Cut the leek into pieces about 2cm thick and toss them into the stock with bay leaf and thyme. Cook for another 2 hours. Add salt, pepper and possibly bacon. Remove the chicken and bay leaf. Keep just as much chicken meat as you want to have in the soup, and add it at the very end. Add rice and prunes and cook for about 20 minutes. Sprinkle with parsley and serve with bread.

coort	*a court*	1. sąd 2. dwór królewski 3. kort
Corbett	*a Scottish mountain of between 2,500–3,000ft (762–914 m)*	nazwa określająca każdą szkocką górę o wysokości między 2500–3000 stóp (762 a 914 metrów n.p.m)
corbie	*1. a raven* *2. a rook* *3. a crow*	1. kruk 2. gawron 3. wrona
coronach	*a funeral lament*	żałobny lament

SCOTS	ENGLISH	POLISH
corrie	*a hollow on the side of a mountain or between mountains*	kocioł polodowcowy, kar
corrie-fisted	*left-handed*	leworęczny
corrieneuchin	*an intimate conversation*	prywatna, osobista rozmowa
couthie	*1. agreeable, friendly* *2. comfortable*	1. miły, sympatyczny 2. wygodny
coven	*a group of witches*	gromada czarownic
covin tree	*a tree in front of a mansion at which guests were met*	drzewo rosnące przed pałacem, rezydencją, przy którym witano gości
cowp	*1. fall over, capsize, overturn, tip over* *2. drink quickly* *3. a rubbish tip, a mess*	1. przewrócić się, wywrócić 2. wypić szybko 3. śmietnik, wysypisko śmieci, bałagan
►to cowp a few drams	*to knock back a few whiskies*	wypić, wychylić kilka whisky
crabbit	*cross, bad-tempered*	rozdrażniony, zirytowany, marudny
crack	*talk, gossip (n)*	pogawędka, rozmowa, gadanie
craig	*a rock, cliff*	skała, klif
craik	*croak (v, n)*	1. krakać 2. krakanie
craitur	*1. a creature* *2. a glass of whisky*	1. stworzenie 2. szklaneczka whisky
cran	*1. a crane (a bird and a machine)* *2. a tap*	1. żuraw (ptak i urządzenie) 2. kran
cranachan	*dessert made from cream, honey, soft oatmeal, raspberries and whisky*	tradycyjny szkocki deser z bitą śmietaną, whisky i malinami

Cranachan

Deser z malinami, tradycyjnie podawany w Nowy Rok i Dzień Roberta Burnsa.

Składniki:

570ml tłustej słodkiej śmietanki (double cream)
85g drobnych płatków owsianych

7 łyżek whisky (single malt)
3–4 łyżki płynnego miodu
450g malin

SCOTS	ENGLISH	POLISH

Płatki owsiane uprażyć na patelni lub w piekarniku na złoty kolor. Ubić śmietanę i dodać do niej whisky, płatki, miód i maliny. Delikatnie wymieszać i przełożyć do pucharków

A raspberry dessert, traditionally served at New Year and on Burns Night.

Ingredients:

570ml double cream	*3–4 tablespoons of liquid honey*
85g fine oatmeal	*450g raspberries*
7 tablespoons whisky (single malt)	

Heat the oats in a frying pan or roast in the oven until golden brown. Whip the cream and add the whisky, oats, honey and raspberries. Gently stir and put into cups.

---

craw	1. *a crow*	1. wrona czarna
	2. *a rook*	2. gawron
▶hoodie craw	*a hooded crow*	wrona siwa

creel	1. *a basket*	1. kosz
	2. *a fish trap*	2. siatka do łowienia ryb
creesh	*fat, grease*	tłuszcz
croft	*a small farm*	małe gospodarstwo rolne
crood	*a crowd*	tłum
croon	*a crown*	korona
crowdie	*a kind of soft white cheese*	rodzaj białego miękkiego sera
cruive	*a fish-trap in a river*	pułapka na ryby na rzece
cry	*call, give a name to*	nazywać
cud	*could*	
cuddy	1. *a donkey*	1. osioł
	2. *a horse*	2. koń
cudna, cudnae	*couldn't*	
cuik	*cook (v)*	gotować

45

SCOTS	ENGLISH	POLISH
cuil	*cool (adj)*	chłodny
Cullen skink	*fish soup made from smoked haddock, potatoes, onions and milk*	zupa rybna z łupacza, z ziemniakami, cebulą i mlekiem

---

Cullen Skink

Nazwa pochodzi od wioski rybackiej Cullen w Morayshire. *Skink* oznacza zupę.

Składniki:

700ml mleka
garść zielonej pietruszki
liść laurowy
450g fileta z wędzonego łupacza
(haddock)

55g masła
1 cebula, drobno pokrojona
250g ugotowanych, rozgniecionych ziemniaków
sól i pieprz

Wlać mleko do dużego garnka. Dodać liść laurowy i rybę.

Doprowadzić do wrzenia i gotować na małym ogniu 3 minuty. Odstawić na 5 minut.

Wyjąć rybę i przecedzić mleko przez sitko.

W innym garnku zeszklić cebulę na maśle.

Dodać mleko do cebuli, następnie dodać ziemniaki i mieszać, aż uzyskamy kremową konsystencję.

Podzielić rybę na drobne kawałeczki, usuwając ości. Kawałki ryby wrzucić do zupy.

Dodać posiekaną pietruszkę i gotować jeszcze 5 minut.

Dodać sól i pieprz do smaku.

Można podawać z grzankami.

The name comes from the fishing village of Cullen in Morayshire. 'Skink' means soup.

Ingredients:

700ml milk
a handful of parsley
bay leaf
450g smoked haddock fillet

55g butter
1 onion, finely chopped
250g cooked mashed potatoes
Salt and pepper

Pour milk into a large pot. Add the bay leaf and fish.
Bring to the boil and simmer 3 minutes. Let stand for 5 minutes.
Remove the fish and strain the milk through a sieve.
In another pan fry the onion in butter.
Add milk to the onions, then add potatoes and stir until creamy.
Divide the fish into small pieces, removing bones. Throw the pieces of fish into the soup.
Add chopped parsley and cook another 5 minutes.
Add salt and pepper to taste.
You may serve it with croutons.

SCOTS	ENGLISH	POLISH
cummer, kimmer	1. *a girl, a female friend* 2. *a godmother* 3. *a gossip*	1. dziewczyna, przyjaciółka 2. matka chrzestna 3. plotkarz, plotkarka
cushie-doo	1. *a wood pigeon* 2. *a term of endearment*	1. gołąb grzywacz 2. gołąbek (czułe określenie na ukochaną osobę)
cutty	*short*	krótki
Da	*Dad, father*	tata, ojciec
da, de	*the*	
dae,	*do (v)*	robić
daft on / for	1. *enthusiastic about* 2. *crazy about, in love with*	1. pełen entuzjazmu (dla czegoś) 2. zwariowany (na punkcie czegoś)
dainty-lion	*dandelion*	mniszek lekarski (mlecz)
daith	*death*	śmierć
Dan, Danny Boy	*a nickname for a Catholic*	potocznie 'katolik'
darg	*a day's work*	praca wykonana w ciągu dnia
daud	*a piece*	kawałek
daunder, dander	*walk (v, n)*	1. spacerować 2. spacer
daur	*dare (v)*	odważyć się, ośmielić się (coś zrobić)
daw	*dawn (n)*	świt
deave	1. *annoy* 2. *bore* 3. *deafen*	1. denerwować 2. nudzić 3. ogłuszać
dee	1. *die* 2. *do*	1. umrzeć 2. robić
deef	*deaf*	głuchy
deek	1. *look (v, n)* 2. *see*	1. patrzeć; spojrzenie 2. zobaczyć, widzieć
Dees	*nickname for Dundee football team*	potoczna nazwa drużyny piłkarskiej z Dundee
defender	*a defendant*	oskarżony
deid	*dead*	martwy
deid-kist	*a coffin*	trumna

SCOTS	*ENGLISH*	POLISH
deil	*the devil*	diabeł

The Deil's Cauldron

Malowniczy wodospad na rzece Lednock, w pobliżu miejscowości Comrie w Perthshire. Według legendy mieszka tam wodny elf, który wciąga swe ofiary w czeluść wodospadu.

A picturesque waterfall on the river Lednock, near the village of Comrie in Perthshire. According to legend, a water sprite lives there, one that pulls its victims over the waterfall.

Deil's Heid

Wystająca z wody skała przypominająca głowę diabła, jedna z formacji skalnych na terenie klifów w Seaton, w pobliżu Arbroath. Znajduje się na szlaku pieszym Seaton Cliffs Nature Trail.

A rock sticking out of water, resembling the head of the devil. It's one of the rock formations near the cliffs at Seaton, near Arbroath. Located on the Seaton Cliffs Nature Trail for walkers.

Scots	English	Polish
dern	*hide*	ukryć
deuk	*a duck*	kaczka
dicht	*wipe clean*	wycierać
didna, didnae	*didn't*	
differ	*difference*	różnica
din	*loud talk, fuss, disturbance*	hałas, zamieszanie
ding	*beat, strike*	uderzyć
ding on	*rain heavily*	lać (o deszczu)
dinna, dinnae	*don't*	
dirdum	*a loud noise*	hałas
dirl	*vibrate, shake*	wibrować, drżeć
dirk	*the traditional Highlandman's dagger*	tradycyjny szkocki sztylet

dirk
sztylet

dis	1. *does*	1. czasownik posiłkowy 'does'
	2. *this*	2. ten, ta, to
	3. *these*	3. te, ci

SCOTS	ENGLISH	POLISH
disjaskit	*dejected, depressed*	przygnębiony
disna, disnae	*doesn't*	
divert	*an entertainment, amusement*	rozrywka
dochter	*a daughter*	córka
dock	*the buttocks*	pupa
doitit	*dazed, confused*	ogłupiały, oszołomiony
dominie	*a schoolmaster*	nauczyciel
donnert	*1. dazed* *2. dull, stupid*	1. oszołomiony, ogłupiały 2. tępy, głupi
Dons	*nickname for Aberdeen football club*	potoczna nazwa na klub piłkarski z Aberdeen
doo	*a dove, pigeon*	gołąb
dook	*1. bathe (n, v)* *2. dive, duck*	1. kąpiel; kąpać 2. zanurzyć się, wskoczyć do wody
dool	*grief, distress*	smutek

Loony Dook

Co roku 1 stycznia w miejscowości South Queensferry setki osób kąpią się w lodowatej wodzie zatoki Firth of Forth, w pobliżu zabytkowego mostu Forth Rail Bridge. Impreza po raz pierwszy odbyła się w 1987 roku i od tamtej pory cieszy się coraz wiekszą popularnością.

Every year on 1 January hundreds of people bathe in the icy water of the Firth of Forth at South Queensferry, near the historic Forth Rail Bridge. The event was first held in 1987 and has since become increasingly popular.

Dool Tree

Drzewo, najczęściej jawor, służące niegdyś jako szubienica. Do połowy osiemnastego wieku *dool tree* było częstym widokiem na terenie posiadłości ziemskich. Z 'drzew smutku' korzystali również przywódcy klanów, którzy wieszali na nich swych wrogów. Jedno z niewielu zachowanych drzew-szubienic (zasadzone w XVI wieku, za panowania Jamesa V) znajduje się przy Blairquhan Castle, na zachód od Straiton w południowym Ayrshire.

A tree, usually a sycamore tree, once used as a gallows. By the mid-eighteenth century, dool trees were a common sight on many Scottish estates. The 'tree of sorrow' also benefited clan chiefs, who hung their enemies from them. One of the few surviving gallows-trees (planted in the sixteenth century, during the reign of James V) can be found at Blairquhan Castle, west of Straiton in South Ayrshire.

SCOTS	*ENGLISH*	POLISH
doon	*down*	na dół, w dół, na dole

The River Doon

Rzeka w hrabstwie Ayrshire, przepływająca przez miejscowość Alloway, gdzie urodził się Robert Burns. W Alloway znajduje się most, Brig o' Doon, który pojawia się w słynnym poemacie Burnsa, 'Tam o' Shanter'. Most ten widnieje na nowych szkockich banknotach pięciofuntowych z 2007 roku.

A river in Ayrshire that runs through the village of Alloway, where Robert Burns was born. Brig o' Doon, which features in the famous Burns poem 'Tam o' Shanter', is in Alloway. This bridge can be seen on Scottish £5 notes which came out in 2007.

doot	*1. doubt (v, n)* *2. expect, suspect*	1.wątpić; wątpliwość 2. sądzić, podejrzewać
douce	*sweet, pleasant, lovable*	łagodny, przyjemny
dour	*bleak, gloomy*	ponury
dover (ower)	*doze off, snooze*	drzemać
dowe	*fade away*	zanikać
dowf	*spiritless, tired, weary*	niemrawy, znużony
dowie	*sad*	smutny
dowp	*1. bottom (of a person)* *2. a cigarette end*	1. pupa, siedzenie 2. niedopałek (papierosa)
dram	*a drink of whisky*	szklaneczka whisky (często 50ml)
drap	*a drop*	kropla
dree	*endure, suffer*	cierpieć
▶Ye maun dree yer ain weird	*You must endure your fate*	Trzeba cierpliwie znosić swój los
dreich	*dreary, dull, bleak (usually the weather)*	smętny, ponury, przygnębiający (najczęściej o szarej, mokrej pogodzie)
dreid	*dread (v, n)*	1. bać się 2. strach
droich	*a dwarf*	karzeł
drookit	*soaked, drenched*	przemoczony
droon	*drown*	utonąć, utopić się
drouthie	*thirsty*	spragniony (czegoś do picia)
dub	*a puddle*	kałuża

SCOTS	ENGLISH	POLISH
dug	*a dog*	pies

**dug
pies**

dumfoonert	*dumbfounded*	zdumiony, osłupiały
dunk	*damp*	wilgotny
dunt	*a heavy blow or stroke*	cios, uderzenie
dunter	*a dolphin*	delfin
dwam	*1. a daze, daydream (n)*	1. otępienie, zatopienie w myślach, marzenie na jawie
	2. a swoon	2. omdlenie
dyke	*a wall of stones used to separate fields from one another*	niskie, kamienne ogrodzenie zbudowane bez użycia zaprawy
earn	*an eagle*	orzeł
easter	*eastern (now mainly in place names)*	wschodni (obecnie występuje w nazwach geograficznych)

Easter

Słowo to oznacza 'wschodni' i nie ma nic wspólnego z angielskim słowem 'Easter' oznaczającym 'Wielkanoc'. Występuje często w nazwach własnych, na przykład Easter Road w Edynburgu czy Easterhouse w Glasgow.

The word means 'east' and has nothing to do with the religious festival. It often appears in place names, such as Easter Road in Edinburgh and Easterhouse in Glasgow.

SCOTS	ENGLISH	POLISH
Edinburrae	*Edinburgh*	Edynburg
ee	*an eye*	oko

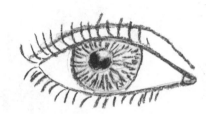

eejit	*an idiot*	idiota
Embra, Embro	*Edinburgh*	Edynburg
eemock	*an ant*	mrówka
een	*1. eyes*	1. oczy
	2. one	2. jeden
efter	*after*	po (czymś)
►see you efter!	*see you later!*	na razie! do zobaczenia!
efternuin	*afternoon*	popołudnie
eicht	*see* aucht	*zob.* aucht
eik	*add to, increase*	dodać, zwiększyć
eild	*old age*	starość
esp	*an aspen tree*	osika
ettle	*aim, attempt, plan (n, v)*	1. cel, próba 2. planować, próbować, zamierzać
eydent	*1. diligent*	1. pracowity
	2. conscientious	2. sumienny, pilny
eyn, en	*an end*	koniec
fa	*1. fall (v)*	1. spadać, opadać
	2. who	2. kto
fae	*see* frae	*zob.* frae
faem	*foam*	piana
faimlie	*a family*	rodzina
fain	*fond*	czuły, miły, przywiązany (do kogoś lub czegoś)

SCOTS	ENGLISH	POLISH
fair	complete, absolute, utter	całkowity, absolutny, skończony
Fair	traditional holiday for workers, e.g. in Glasgow the last two weeks of July	wakacje letnie (np. w Glasgow dwa ostatnie tygodnie lipca)
faither	a father	ojciec
fan	when	kiedy
fankle	1. a tangle, 2. muddle (n, v)	1. plątanina, 2. zamęt; poplątać, zamieszać
fantoosh	flashy, pretentious	szpanerski, krzykliwy
far	where	gdzie
fash	1. annoy, worry	1. denerwować, martwić się, przejmować się
	2. trouble, annoyance	2. kłopot, niedogodność
▶dinna fash yersel	don't worry, don't get annoyed	nie przejmuj się
fashious	annoying	denerwujący
faut	fault	wina
faur	far (adv, adj)	1. daleko 2. daleki
fause	false	fałszywy
faw	fall (v, n)	1. spadać, opadać 2. spadek (np.cen), upadek
Fawkirk	Falkirk	
feart	frightened	przestraszony
feartie	a coward	tchórz
fecht	fight (v, n)	1. walczyć 2. walka
feck	1. an effect 2. a (large) quantity, amount 3. the majority	1. efekt 2. (duża) ilość, liczba 3. większość
feel	cosy, comfortable, soft	przytulny, wygodny, miękki
fegs!	indeed!	naprawdę, rzeczywiście
fell	1. fierce, severe, cruel	gwałtowny, surowy, ostry, okrutny
fend	defend, protect	bronić, chronić
fesh	fetch (v)	przynieść, pójść po coś
fin	1. find 2. feel, be conscious of	1. znaleźć 2. czuć, być świadomym (czegoś)

53

SCOTS	ENGLISH	POLISH
fire-flaucht	*a bolt of lightning*	błyskawica
first fit, first foot	*1. be the first person to visit someone in the New Year* *2. the first person to enter a house on New Year's morning*	1. być pierwszą osobą, która odwiedza kogoś w Nowym Roku 2. pierwsza osoba, która odwiedza kogoś w Nowym Roku

---

First Fit (First Foot)

Obyczaj noworoczny. *First foot* odnosi się do pierwszej osoby, która przekroczy próg naszego domu 1 stycznia. Jeśli takim gościem będzie ciemnowłosy mężczyzna, oznacza to szczęście dla domu na cały nadchodzący rok. Podobno przesąd ten sięga czasów wikingów, kiedy to blondyn na progu wróżył kłopoty... Ważne też, aby gość nie przybył z pustymi rękoma. W dawnych czasach przynoszono na szczęście monetę, bryłkę węgla, sól, *shortbread*, ciasto *black bun* i whisky. W dzisiejszych czasach wystarczy butelka whisky.

A New Year custom. 'First foot' refers to the first person to cross one's threshold on 1 January. If it is a dark-haired man, it means good luck for the household in the coming year. It seems this superstition dates back to Viking times, when a fair-haired man meant that trouble was about to start ... It is also important that the guest does not arrive empty-handed. In olden days, to ensure good luck people used to bring a coin, a lump of coal, some salt, shortbread, black bun and whisky. Nowadays, a bottle of whisky will do.

---

firth	*an inlet of the sea*	zatoka
fish supper	*fish and chips*	ryba z frytkami
fit	*1. what* *2. foot*	1. co 2. jaki, stopa
▶ fit ye daein?	*what are you doing?*	co robisz?
▶ fit like?	*how are you?*	jak się masz?
fitba	*football*	piłka nożna
fit wye	*1. why* *2. how*	1. dlaczego 2. jak
fite	*white*	biały
flair	*a floor*	1. podłoga, piętro
flech	*a flea*	pchła
flee	*1. fly (v)* *2. a fly (an insect)*	1. latać 2. mucha
fleg	*frighten, scare*	przestraszyć

SCOTS	ENGLISH	POLISH
fleggit	*scared*	przestraszony
flesher	*a butcher*	rzeźnik
flicht	*a flight*	lot
fling	*1. a kick*	1. kopnięcie
	2. a Scottish dance	2. rodzaj szkockiego tańca
flit	*move house*	przeprowadzić się
flittin	*moving house*	przeprowadzka
flooer	*a flower*	kwiat

flooer
kwiat

flude	*a flood*	powódź
fluir	*see* flair	*zob.* flair
flyte	*scold*	nakrzyczeć na kogoś
flytin	*a form of poetry in which poets take turns to insult and abuse each other*	poetycki pojedynek, w którym poeci sobie docinają

SCOTS	ENGLISH	POLISH
fog	*moss*	mech
foost	*become or smell mouldy*	spleśnieć, pachnieć pleśnią, stęchlizną
foostie	*mouldy*	spleśniały
foo	1. *how* 2. *why*	1. jak 2. dlaczego
fool	*dirty, foul*	brudny
forby	1. *besides, in addition* 2. *except for*	1. dodatkowo, poza tym 2. oprócz
for ordinar	*usually*	zazwyczaj
forefolk	*ancestors*	przodkowie
forenent	*opposite, in front of*	naprzeciwko, przed
forenicht	*evening*	wieczór
forfochen	*exhausted, worn out*	zmęczony, wykończony
forgaither	*assemble, gather together*	zebrać się, spotkać się, gromadzić się
forgaitherin	*assembly, gathering*	zebranie, spotkanie się (grupy osób)
forkietail	*an earwig*	szczypawka
forrit	*forward*	naprzód, do przodu
fou	1. *full* 2. *drunk*	1. pełen 2. pijany
fouter (v, n)	1. *fiddle, work in an unskilled way* 2. *a slacker* 3. *a fiddly job*	1. robić coś, pracować byle jak 2. obibok, leniuch 3. dłubanina
fower	*four*	cztery
fowk	*people*	ludzie
frae	*from*	od (kogoś), skądś, z (czegoś)
freen	*friend*	przyjaciel
fremmit	*strange, foreign*	obcy
fricht	*fright*	strach
frichten	*frighten*	przestraszyć
frichtit	*frightened*	przestraszony
fud	1. *a tail* 2. *backside (vulgar)*	1. ogon 2. dupa
fuid	*food*	żywność
fuil	*a fool*	głupiec

SCOTS	ENGLISH	POLISH
fush	*a fish*	ryba

fushionless	*lacking in energy, vigour*	słaby, anemiczny, niemrawy
fykie	1. *fussy* 2. *tricky, difficult*	1. wybredny 2. trudny, podchwytliwy
gab	1. *a talk, chat* 2. *talk, chatter*	1. rozmowa, pogawędka 2. rozmawiać, gawędzić
gadgie	*a man, fellow*	facet
gae	*go*	iść, jechać
gaird	*guard (v)*	pilnować, strzec
gait	*a goat*	koza
gaither	*gather*	zbierać, gromadzić się
Gallowa	*Galloway*	
gallus	*mischievous, cheeky, bold*	bezczelny, psotny, śmiały
gang	*go*	iść, jechać
gar	*make somebody do something*	spowodować, sprawić (że coś się stanie), zmusić (kogos do zrobienia czegoś)
gate	*way, road, street*	droga, ulica
gean	*a wild cherry tree*	czereśnia
gemm	*a game*	gra, mecz
Gers	*nickname for Rangers football team*	potoczna nazwa klubu piłkarskiego Rangers Glasgow
gey	1. *very, rather* 2. *considerable, fairly large*	1. bardzo, raczej 2. znaczny, znaczący, duży

SCOTS	ENGLISH	POLISH
ghaist	*ghost*	duch
gie	*give*	dać
gin	*if*	jeśli, jeżeli
girn	*complain, grumble*	narzekać, marudzić
girse	*grass*	trawa
glaikit	*stupid, thoughtless*	głupi, bezmyślny
glamourie	*witchcraft, magic*	czary, magia
glaur	*sticky, slimy mud*	błoto
gled	*1. a kite (a bird)* *2. glad*	1. jastrząb 2. zadowolony
gleg	*quick, sharp, alert, lively*	bystry, żywy, żwawy, pełen energii
glen	*a narrow valley*	dolina (wąska, górska)

Monarch of the Glen

Tytuł popularnego serialu telewizyjnego o życiu arystokratycznej rodziny szkockiej, nadawanego na BBC1 od roku 2000 do 2005. Tytułowym 'władcą doliny' jest jeleń – jest to nawiązanie do słynnego dziewiętnastowiecznego obrazu Edwina Landseera przedstawiającego jelenia na rykowisku.

The title of a popular TV series about the life of an upper-class Scottish family, which was broadcast on BBC1 between 2000 and 2005. The title 'Monarch of the Glen' is actually a deer – a reference to Edwin Landseer's famous nineteenth-century picture representing a rutting deer.

Glen Coe

Dolina Glen Coe uznawana jest za jedno z najpiękniejszych miejsc w Szkocji.

Z geologicznego punktu widzenia jest to pozostałość po wybuchu superwulkanu 420 milionów lat temu.

W pobliżu przełęczy Pass of Glen Coe kręcono niektóre sceny filmu 'Monty Python i święty Graal', dlatego wielbiciele Monty Pythona licznie odwiedzają to miejsce. Również inny film, 'Harry Potter i więzień Azkabanu', był po części kręcony w Glen Coe, niedaleko szesnastowiecznej gospody Clachaig Inn.

Glen Coe is considered to be one of the most beautiful places in Scotland.

From a geological perspective, it is what remains of a supervolcano explosion 420 million years ago.

Some scenes of the film 'Monty Python and the Holy Grail' were shot near the Pass of Glen Coe, which is why many Monty Python fans visit this spot. Another film, 'Harry Potter and the Prisoner of Azkaban', was also partly shot in Glen Coe, near the sixteenth-century tavern, the Clachaig Inn.

Glen Coe Massacre

Wydarzenie z 13 lutego 1692 r., kiedy to w dolinie Glen Coe zabito kilkudziesięciu mieszkańców wioski Glen Coe, głównie członków klanu MacDonald. Zamordowali ich żołnierze króla Wilhelma III, w większości należący do klanu Campbell, odwiecznego wroga MacDonaldów. MacDonaldowie popierali jakobitów, wiernych królowi z dynastii Stuartów, Jakubowi VII (który jako król Anglii zwany był Jakubem II), a nie uznających panującego króla Wilhelma. Kiedy przywódca jakobitów, Alastair MacIan, złożył przysięgę wierności Wilhelmowi, przebywający na londyńskim dworze Campbellowie zataili ów fakt przed królem. MacDonaldów uznano za zdrajców i wydano rozkaz eksterminacji ich rodzimej wioski. Oddział królewski, pod dowództwem Roberta Campbella, przez dwanaście dni korzystał z gościnności gospodarzy z Glencoe, zanim Campbell rozkazał swoim żołnierzom zabijać. Nic zatem dziwnego, że nienawiść MacDonaldów do Campbellów jest żywa po dziś dzień, o czym świadczy chociażby tabliczka na drzwiach gospody Clachaig Inn w dolinie Glen Coe: 'Domokrążcom i Campbellom wstęp wzbroniony'.

On 13 February 1692, dozens of villagers, mostly members of the MacDonald clan, were killed in Glen Coe. They were murdered by soldiers of King William III, most of whom belonged to the Campbell clan, the eternal enemy of the MacDonalds. The MacDonalds supported the Jacobites and were faithful to the Stuart king, James VII and II, not recognizing the reigning King William. When the Jacobite leader, Alastair MacIan, took the oath of fidelity to William, Campbell, who at the time resided at the London court, had concealed this fact from the king. The MacDonalds were considered traitors and orders were given to exterminate their native villages. The royal troopers, under the command of Robert Campbell, enjoyed the hospitality of the villagers for twelve days, before Campbell gave them the order to kill. It is no wonder that McDonalds' hatred for the Campbells is alive to this day, as evidenced by the sign on the door of the Clachaig Inn in Glen Coe: 'No Hawkers or Campbells'.

Glesca, Glesga	*Glasgow*	
Glesga kiss	*a head butt (to the face)*	uderzenie kogoś głową w twarz, "z główki"
gliff, glisk	*1. a glance* *2. a flash*	1. zerknięcie, rzut oka 2. błysk
gloamin	*dusk*	zmierzch
glower	*stare, gaze intently*	wpatrywać się
Goad	*God*	bóg
golach	*an insect, a beetle*	owad, żuk
gomeral	*a fool, a stupid person*	głupek, dureń

SCOTS	ENGLISH	POLISH
gowan	*a daisy*	stokrotka
gowd	*gold*	złoto
gowden	*golden*	złoty
gowf	*golf (sport)*	golf (sport)
gowk	1. *a cuckoo* 2. *a fool* 3. *an April Fool's Day joke*	1. kukułka 2. głupek 3. psikus na prima aprilis
▶ Hunt the Gowk Day, Huntegowk	*April Fools' Day*	prima aprilis
graip	*a large fork used in farming*	widły

graip

widły

graith	*equipment*	sprzęt, wyposażenie
greet	*cry, weep*	płakać
grieve	*an overseer on a farm, a farm bailiff*	rządca w gospodarstwie rolnym
groset, groser	*gooseberry*	agrest
grue	*a shudder, feeling of horror*	drżenie, uczucie przerażenia
grummle	*complain, grumble*	narzekać, marudzić
grumphie	*a pig*	świnia
grun	*ground*	ziemia
guff	*an unpleasant smell*	nieprzyjemny zapach

SCOTS	ENGLISH	POLISH
guddle	1. a mess	1. bałagan
	2. catch fish with the hands	2. łapać ryby rękoma
Guid	God	bóg
guid	good	dobry
guid-brither	a brother-in-law	szwagier
the Guid Buik	the bible	biblia
guid-dochter	a daughter-in-law	synowa
guid-faither	a father-in-law	teść
guid-mither	a mother-in-law	teściowa
guid-sister	a sister-in-law	szwagierka
guidman	1. a husband	1. mąż
	2. the head of the household	2. pan domu
guidwife	1. wife	1. żona
	2. the lady of the house	2. pani domu
gullie (knife)	a large knife	duży nóż
gulsoch	jaundice	żółtaczka
gurr	growl, snarl	warczeć
gutties	plimsolls	tenisówki

gutties   *tenisówki*

guy	guide, steer	kierować, sterować
gype	a foolish person	głupek
gyte	mad, insane	szalony
ha	a hall	korytarz

SCOTS	ENGLISH	POLISH
haar	*a mist or fog, especially an east-coast sea fog*	mgła (nadmorska, zwłaszcza na wschodnim wybrzeżu)
hackit	*ugly, unattractive*	brzydki, nieatrakcyjny
hae	*have*	mieć
haggis	*a traditional Scottish dish of sheep's offal and oatmeal*	tradycyjne danie szkockie składające się z owczych podrobów i płatków owsianych

Haggis

Tradycyjna potrawa szkocka, podobna do kaszanki, składająca się głównie z owczych podrobów i płatków owsianych. *Haggis, neeps* (brukiew) *and tatties* (ziemniaki) to klasyczne danie obiadowe w Szkocji, obecnie spożywane zwłaszcza w Dzień Roberta Burnsa, szkockiego poety, który w 1787 roku napisał 'Odę do haggisa' ('*Address to a Haggis*').

Szkoci lubią sobie żartować z turystów, wmawiając im, że *haggis* to nieduże zwierzę, które ma dwie nogi dłuższe, a dwie krótsze, co ułatwia mu wspinanie się po szkockich górach. Podobno według jednego z sondaży 33 procent amerykańskich turystów rzeczywiście uważa, że *haggis* to zwierzę zamieszkujące Szkocję.

Haggis znalazł również nietypowe zastosowanie, w Szkocji mianowicie istnieje konkurencja sportowa zwana 'rzut haggisem'. Przez ponad dwadzieścia lat rekord Guinessa należał do Alana Pettigrew, który w 1984 roku, na wyspie Inchmurrin na Loch

Lomond, rzucił haggisem na odległość 55 metrów i 11 cm. Jednak został on pobity w 2011 roku przez Lorne Coltart i wynosi obecnie 217 stóp, czyli 66 metrów i 14 cm.

A traditional Scottish dish (similar to Polish black pudding) consisting mainly of sheep offal and oatmeal. Haggis, neeps and tatties is a classic dinner dish in Scotland, eaten especially on Burns Night. In 1787, Robert Burns, the Scottish poet, wrote 'Address to a Haggis'.

Scots like to tease tourists, by telling them that the haggis is a small animal with two longer legs and two shorter ones, which help it climb the Scottish mountains. Apparently, according to a survey, a third of American tourists do actually believe that the haggis is an animal living in Scotland.

Haggis has also been put to an unusual use in Scotland, i.e., there is a sporting contest known as 'haggis hurling'. For over twenty years the Guinness world record belonged to Alan Pettigrew who, in 1984, on the island of Inchmurrin in Loch Lomond, threw a haggis as far as 180 feet. However, in 2011 Lorne Coltart set a new record of 217 feet.

hail,	*whole*	cały
hain	*save, be thrifty*	oszczędzać

SCOTS	ENGLISH	POLISH
hairst	1. *the autumn*	1. jesień
	2. *harvest*	2. żniwa

Huntly Hairst
Dwudniowa impreza 'dożynkowa', odbywająca się na początku września w miasteczku Huntly w hrabstwie Aberdeenshire, podczas której można kupić lokalne produkty spożywcze prosto od farmerów.

A two-day 'harvest' ('hairst') event, held in early September in the town of Huntly, Aberdeenshire, where you can buy local produce directly from farmers.

---

hairy	*a prostitute*	prostytutka
hairy grannie	*a large, hairy caterpillar*	duża, włochata gąsiennica

hairy grannie **gąsiennica**

haiver	*talk nonsense*	opowiadać bzdury
haivers	*nonsense*	bzdury
hale	*see* hail	*zob.* hail
hame	1. *home*	1. dom, do domu
	2. *at home*	2. w domu

Tour Doon Hame
Zawody kolarskie odbywające się w hrabstwie Dumfries and Galloway, w południowo-zachodniej Szkocji.

A cycling competition held in Dumfries and Galloway, in south-west Scotland.

SCOTS	ENGLISH	POLISH
handsel	*a gift given to someone at the start of something (e.g. the New Year, a new house, a new baby) intended to bring them good luck*	prezent na szczęście dawany na dobry początek czegoś, np. na Nowy Rok, przy zakupie nowego domu lub narodzinach dziecka

Handsel

Prezent na szczęście, którym obdarowuje się kogoś, kto rozpoczyna w życiu coś nowego, na przykład nową pracę lub mieszkanie w nowym domu. Dawniej prezenty takie dawano w tzw. *handsel Monday*, czyli pierwszy poniedziałek nowego roku lub pierwszy poniedziałek po 12 stycznia. Podarunkiem na szczęście nie mogły być przedmioty ostre, bo to wróżyłoby 'przecięcie' dobrych stosunków z obdarowaną osobą. Choć obyczaj ten jest już rzadko praktykowany, to zdarza się jeszcze, że słowo *handsel* używane jest jako

czasownik w zwrotach *'handsel a new bag'* czy też *'handsel a new purse'* – mówimy tak, kiedy wkładamy do nowej torebki lub portmonetki monetę na szczęście.

A gift given to someone at the start of something new, like a new job or moving house, intended to bring them good luck. Historically, such gifts were presented on 'handsel Monday', the first Monday of the new year or the first Monday after 12 January. The gift should not be a sharp object, because it would 'cut' the relationship between the giver and the recipient. Although this custom is rarely practised, the word 'handsel' is used as a verb in the phrases 'handsel a new bag' or 'handsel a new purse' – which means that we put a lucky coin in a new handbag or purse.

hap	*cover, wrap (v)*	pokryć, zakryć, okryć
happy	*lucky, fortunate*	taki, który ma szczęście, pomyślny
hard	*stingy*	skąpy
hard up	*unwell, in poor health*	niezdrów, o słabym zdrowiu
hardy	*in good health*	zdrowy, o dobrym zdrowiu
hark	*listen*	słuchać
harl	*1. drag, pull* *2. roughcast, pebbledash*	1. ciągnąć, wlec 2. pokrywać tynkiem kamyczkowym
harns	*the brain, intelligence*	mózg, umysł
hashy	*rough, careless (of work)*	niedbały, byle jak wykonany (np. praca)
haud	*hold*	trzymać

SCOTS	ENGLISH	POLISH
hauf	*half*	połowa
haugh	*river-meadow land*	łąki nad rzeką
haun	*a hand*	ręka

haun
ręka

haunt	*a custom, habit*	zwyczaj
hause	*a neck*	szyja
hausebane	*a collarbone*	obojczyk
havers	1. *oats* 2. *see* haiver	1. owies 2. *zob.* haiver
he	*he, it*	podobnie jak w języku polskim w niektórych regionach Szkocji (na przykład na Szetlandach) zaimek 'he' może być używany w odniesieniu do rzeczy, nie tylko osób
heal	1. *health* 2. *hide, conceal*	1. zdrowie 2. ukrywać
Hecklebirnie	*hell*	piekło
heel	*each end of a loaf of bread*	piętka chleba
heeze	*lift, raise*	unieść, podnieść
heich	*high (adj, adv)*	1. wysoki (nie w odniesieniu do człowieka) 2. wysoko

SCOTS	ENGLISH	POLISH
heid	*a head*	głowa

Crappit Heid

Mało apetyczna ciekawostka kuchni szkockiej, której obecnie na próżno by szukać w restauracjach – głowa dorsza faszerowana wątróbką, cebulą i płatkami owsianymi. Danie to wymyśliły w XVIII w. żony rybaków z Caithness i Aberdeenshire.

A rather unappetising curiosity of Scottish cuisine, not to be found in modern restaurants – cod's head stuffed with liver, onions and oatmeal. Originally, this dish was created by 18th-century fishermen's wives from Caithness and Aberdeenshire.

The Sheep Heid Inn

Prawdopodobnie najstarszy pub w Szkocji, założony około roku 1360. Mieści się na obrzeżach Holyrood Park w Edynburgu.

Szkocka królowa Maria Stuart regularnie zatrzymywała się w tym zajeździe, podróżując między pałacem Holyrood a Craigmillar. W roku 1580 król James VI grał tu w kręgle, a w podziękowaniu za miło spędzony czas podarował właścicielowi karczmy tabakierę ozdobioną głową barana – stąd wzięła się nazwa The Sheep Heid Inn (Zajazd pod Baranią Głową).

Probably the oldest surviving pub in Scotland, established about 1360. It is located on the edge of Holyrood Park in Edinburgh. Mary Queen of Scots regularly stopped at the inn when travelling between Craigmillar and Holyrood Palace. In 1580 James VI played skittles here, and as thanks for a nice time presented the landlord with a snuffbox embellished with a ram's head – hence it was called The Sheep Heid Inn.

▶it's nippin ma heid	*it's causing me severe annoyance*	ktoś / coś doprowadza mnie do szału
▶bile yer heid!	*go away, don't give me that nonsense, don't be ridiculous*	nie gadaj głupot! spadaj! puknij się w głowę!
heid bummer	*a manager, a prominent person*	kierownik, szef, ważna osoba
heidbanger	*a mad person, an idiot*	wariat, idiota
Heidie	*headteacher of a school*	dyrektor szkoły
hen	*a term of address for a girl or a woman*	forma zwracania się do kobiety
hert, hairt	*a heart*	serce
het	*hot (adv, adj)*	1. gorąco 2. gorący
Hibs, Hi-bees	*nickname for the Edinburgh football club Hibernian*	potoczna nazwa na edynburski klub piłkarski Hibernian

SCOTS	ENGLISH	POLISH
Hielands	*Highlands*	region w północnej Szkocji obejmujący Góry Kaledońskie i Grampiany
hing	*hang*	wisieć, powiesić
hingers	*curtains*	zasłony
hinnie	1. *honey* 2. *a term of endearment*	1. miód 2. kochanie (czuły zwrot)
hint	*back, rear (n, adj)*	1. tył 2. tylni
hir	*her*	jej
hirple	*limp (v)*	kuleć
hoast	*cough (n, v)*	1. kaszel 2. kaszleć
hodden	1. *a kind of coarse, greyish woollen cloth* 2. *rustic, homely*	1. rodzaj surowej, szarej wełnianej tkaniny 2. wiejski, domowy, prosty

Het Pint

Grzane piwo po szkocku

Składniki:

2 litry piwa
1 łyżeczka gałki muszkatołowej
3 jajka
100g cukru
300ml whisky

Dodać gałkę muszkatołową do piwa i prawie zagotować. Dodać cukier, ubite jajka i ciągle mieszać, żeby jajka się nie ścięły. Później dodać whisky i mocno podgrzać, ale tak, by nie zagotować. Kilka razy szybko przelać piwo z jednego garnka do drugiego, aby nabrało jedwabistej konsystencji.

Jest to wersja podstawowa, którą można wzbogacić dodając kardamon, goździki i cynamon. Jeśli ktoś nie lubi piwa, *het pint* można też przyrządzić z białego wina i brandy.

Scots-style mulled beer.

Ingredients:
2 litres of beer
1 teaspoon nutmeg
3 eggs
100 grams of sugar
300ml of whisky

Add nutmeg to beer and bring nearly to the boil. Add sugar, beaten eggs and stir constantly so that the eggs do not curdle. Then add the whisky and bring the mixture nearly to boil. Quickly pour the beer from one pot to another a few times until it becomes smooth.

This is the basic version, which can be enriched by adding cardamom, cloves and cinnamon. If you don't like beer, you can also make a 'het pint' with white wine and brandy.

SCOTS	*ENGLISH*	POLISH
Hogmanay	*New Year's Eve*	sylwester

Hogmanay

Słowo *Hogmanay* to odpowiednik polskiego sylwestra, jednak najczęściej używa się go w odniesieniu do świętowania i sylwestra, i Nowego Roku.

Świętowanie *Hogmanay* ma w Szkocji bogatszą tradycję niż obchodzenie Bożego Narodzenia. Kościół Szkocki sprzeciwiał się wszelkiego rodzaju świętowaniu, a ze wzgledu na to, że Boże Narodzenie było kojarzone z katolicyzmem i anglikanizmem, uważano, że tym bardziej nie powinno być obchodzone. Ponieważ przez 400 lat Boże Narodzenie było w Szkocji zakazane, 25 grudnia był zwykłym dniem pracy, a funkcję dnia świątecznego związanego z przesileniem zimowym pełnił właśnie *Hogmanay*. O tym, jak mało istotnym świętem w Szkocji było Boże Narodzenie, niech świadczy fakt, że 25 grudnia stał się dniem wolnym od pracy dopiero w 1958 roku.

Do tradycji *Hogmanay* należało obdarowywanie bliskich prezentami 1 stycznia, sprzątanie domu i spłacanie długów przed północą 31 grudnia. Popularny był też zwyczaj wykładania na noc srebrnej monety przed dom – gdy na drugi dzień, czyli 1 stycznia, moneta nadal była na swoim miejscu, wróżyło to rok pomyślny finansowo. Tradycyjnie, tuż po północy śpiewa się pieśń '*Auld Lang Syne*'. Wciąż żywym obyczajem jest też *first footing* (zob. *first fit, first foot*). Niestety wymarł

już obyczaj zwany *handselling*, polegający na dawaniu sobie prezentów w pierwszy poniedziałek Nowego Roku.

Dziś w wielu szkockich miastach publiczne obchody *Hogmanay* to pokaz sztucznych ogni i pochód z płonącymi pochodniami. Jest to nawiązanie do starych pogańskich tradycji, kiedy palono ogniska, staczano ze wzgórz płonące beczki ze smołą, czy palono pochodnie zrobione z kija owiniętego zwierzęcą skórą, by dymem odstraszyć złe moce. Część tych obyczajów przetrwała w niektórych regionach kraju. Na przykład w Stonehaven, w pobliżu Aberdeen, odbywa się jedno z najbardziej spektakularnych widowisk związanych z ogniem. Sześćdziesięciu mężczyzn niesie ulicami miasta gigantyczne kule ognia ważące nawet 9 kilo, zawieszone na długich metalowych drągach. Kule te symbolizują moc słońca, które oczyszcza świat ze złych duchów.

Chyba najbardziej znaną imprezą tego typu jest odbywający się 30 grudnia edynburski marsz z pochodniami, który otwiera obchody *Hogmanay* w stolicy. W 2010 roku brało w nim udział około 25 tysięcy osób, w tym 5000 niosło pochodnie. Korowód zmierzający na Calton Hill, gdzie zostaje spalona łódź wikingów, prowadzą wikingowie z Szetlandów i kilka zespołów kobziarzy.

zob. też *Yule*

The word 'Hogmanay' means New Year's Eve, but it is mostly used to talk about the celebrations on both New Year's Eve and New Year's Day.

Historically, Hogmanay celebrations in Scotland are more important than the celebration of Christmas. Christmas was virtually banned in Scotland for around 400 years. The Kirk was not in favour of excessive celebrations of any kind and because Christmas was associated with Catholicism, and indeed Anglicanism, celebrating it was discouraged. Since 25th December was an ordinary working day, the Scots celebrated their winter solstice holiday on Hogmanay. The relative insignificance of Christmas in Scotland is undoubtedly demonstrated by the fact that 25th December only became a public holiday in 1958.

Hogmanay traditions included giving gifts to loved ones on 1st January, cleaning the house and paying off your debts before 'the bells' on 31st December. A popular custom was also to place a silver coin outside the house – if on the following day, that is 1st January, the coin was still there, it meant that the new year would be financially successful. Traditionally the song 'Auld Lang Syne' is sung just after midnight. First footing (see first fit / first foot) is also still common in Scotland.

Unfortunately, the custom of 'handselling', i.e. exchanging gifts on the first Monday in the New Year, is no longer practised.

Today in many Scottish cities the public celebration of Hogmanay is a firework display and a torchlight procession. This goes back to the old pagan traditions, when bonfires were lit, blazing tar barrels were rolled down the hills and animal hide was wrapped around sticks and ignited which produced a smoke that was supposed to ward off evil spirits. Some of these customs survived in certain regions of the country. For example, Stonehaven, near Aberdeen, hosts one of the most spectacular fire ceremonies. Sixty men march through the streets carrying giant fire-balls weighing up to 9kg, suspended on long metal poles. The balls symbolize the power of the sun, which purifies the world of evil spirits.

Perhaps the most famous event of this kind is the Edinburgh torchlight procession, which opens the Hogmanay celebrations in the capital on 30 December. In 2010 about 25,000 people took part in it, 5,000 of whom carried torches. A bunch of Shetland Vikings and several bands of bagpipers led the procession towards the Calton Hill, where a Viking warship was burned.

See also Yule

Scots	English	Polish
homologate	*ratify, confirm, approve*	ratyfikować, potwierdzić, aprobować
hoo	*1. how* *2. why*	1. jak 2. dlaczego
hoolet	*an owl*	sowa

hoolet

sowa

SCOTS	ENGLISH	POLISH
hoond, hund	a dog	pies
hoose	a house	dom
hoot, hoots!	an exclamation expressing impatience, disagreement	okrzyk wyrażający zniecierpliwienie, sprzeciw
hornie golach	an earwig	szczypawka
housing scheme	a housing estate	komunalne osiedle mieszkaniowe
howdie	a midwife	położna
howe	a hollow, depression, a low-lying piece of ground	zagłębienie, obniżenie terenu, nizina
howf	a favourite haunt, often a bar, pub	ulubione miejsce spotkań, często bar, pub
howk	dig	kopać (w ziemi)
hudderie	untidy (hair)	potargany
huil	skin	skóra, skórka
humph	1. a hump 2. carry something heavy	1. garb 2. dźwigać
hunner	a hundred	sto
Huntegowk	see gowk	zob. gowk
hurcheon	a hedgehog	jeż
hurdies	buttocks	pośladki
hurl	1. ride in a vehicle	1. jechać (autobusem, samochodem itp.)
	2. a ride in a vehicle	2. przejeżdżka (samochodem, autobusem)
hyne awa	far away (adj, adv)	daleki; daleko
hyter	walk unsteadily, stumble, trip	iść niepewnie, potykać się
ignorant	rude, ill-mannered	niegrzeczny, źle wychowany
ile	oil	olej
ilka	each, every	każdy
ilkaday	everyday (adj)	codzienny
ill	1. evil, bad 2. difficult	1. zły (np. charakter) 2. trudny
ill-faured	ugly	brzydki
ill-trickit	mischievous	psotny, złośliwy
inby	inside	wewnątrz
ingan	an onion	cebula

SCOTS	ENGLISH	POLISH
ingang, ingaun	*an entrance*	wejście
innin	*1. an introduction*	1. wstęp, wprowadzenie (do książki)
	2. an entrance	2. wejście
interdict	*an injunction*	zakaz (sądowy)
intil	*into*	do środka, do wewnątrz
intimmers	*1. internal organs*	1. wnętrzności
	2. the mechanism, the works	2. wewnętrzne części (mechanizmu)
isna, isnae	*isn't*	
ither	*other*	inny
ivver	*ever*	kiedykolwiek
jag	*1. an injection, a jab*	1. zastrzyk
	2. stab or prick (v)	2. dźgnąć, przekłuć
jaggie	*prickly*	kłujący
Jags	*nickname for Partick Thistle Football Club in Glasgow*	potoczna nazwa klubu piłkarskiego Partick Thistle z Glasgow
jalouse	*1. suspect (v)*	1. podejrzewać
	2. suppose, imagine	2. przypuszczać, zgadywać, wyobrażać sobie
Jambos	*nickname for Heart of Midlothian football team, Hearts*	potoczna nazwa klubu piłkarskiego Heart of Midlothian z Edynburga (zwanych również Hearts)
jaup	*splash*	chlapać
jaw	*pour, splash*	lać, chlapać
jaw-box	*a sink*	zlew
jeel	*coldness*	mróz, zimno
jeely	*jam*	dżem
Jessie	*a contemptuous term for an effeminate man*	pogardliwe określenie na zniewieściałego mężczyznę
Jethart	*Jedburgh*	
jile	*prison*	więzienie
Jimmy	*a familiar form of address to a man, esp. a stranger (mainly Glasgow)*	forma zwracania się do nieznajomego mężczyzny (używana głównie w Glasgow)
jimp	*1. slender, small*	1. szczupły, mały, drobny
	2. close-fitting, too small	2. ciasny, za mały

SCOTS	ENGLISH	POLISH
jine	*join*	przyłączyć się
jo	*sweetheart, darling*	ukochana, ukochany
joco	*cheerful, merry*	wesoły, radosny
jonick	*fair, just, honest*	sprawiedliwy, uczciwy
jotters ▶ to get / be gien yer jotters	*to be fired or dismissed*	zostać zwolnionym z pracy
jouk	*duck, dodge (v)*	uchylić się, uskoczyć
kae	*a jackdaw*	kawka (ptak)
kail	*a kind of cabbage*	kapusta karbowana (jarmuż)
kailworm	*a caterpillar*	gąsiennica
kailyard	*1. a kitchen garden* *2. sentimental Scottish fiction popular at the end of the 19th century and in the early 20th century*	1. ogródek warzywny 2. rodzaj sentymentalnej literatury popularny w Szkocji na przełomie XIX i XXw.
kaim	*comb (v, n)*	1. czesać 2. grzebień

kaim

grzebień

keech	*excrement*	odchody
keek	*peep, glance (n, v)*	1. spojrzenie 2. zerkać
keek-o-day	*sunrise*	wschód słońca
keekin glass	*a mirror*	lustro

SCOTS	ENGLISH	POLISH
keelie	*a rough male city dweller, a tough, especially from Glasgow (insulting)*	pejoratywne określenie na osobę z półświatka, zwłaszcza z Glasgow i okolic, zabijaka
kelpie	*a water demon in the shape of a horse*	demon wodny przybierający postać konia

Kelpie

Demon wodny pojawiający się na brzegach jezior i rzek pod postacią pięknego białego lub czarnego konia. Grzywa *kelpie* zawsze ocieka wodą, niekiedy wplątują się w nią wodorosty. Skóra podobna jest do skóry foki – lśniąca i gładka. Według opowieści ludowych, *kelpie*, zobaczywszy człowieka, kusi go swoim lśniącym grzbietem, a kiedy człowiek go dosiądzie, unosi jeźdźca wgłąb jeziora i tam go pożera. *Kelpie* występuje nie tylko w folklorze szkockim, ale też irlandzkim i skandynawskim.

A water demon that appears on the shores of lakes and rivers in the form of a beautiful white or black horse. The mane of a kelpie always drips water, sometimes there is seaweed caught up in it. Its hide is similar to the skin of a seal – shiny and smooth. According to some folk tales, when a kelpie sees a man, it tempts him to mount its glossy back, but when the man does so, the kelpie carries its rider into the depths of the lake and devours him there. Kelpies feature not only in Scottish folklore, but also in Irish and Scandinavian tales.

Kelsae	*Kelso*	
kemp	*1. compete*	1. rywalizować
	2. competition	2. rywalizacja
ken	*1. know*	1. znać, wiedzieć
	2. knowledge	2. wiedza
▶A dinna ken, A dinnae ken	*I don't know*	nie wiem
kenspeckle	*conspicuous, familiar*	rzucający się w oczy, zwracający uwagę, znajomy
kep	*catch*	łapać
key	*mood, humour*	nastrój, humor
kick	*a habit, a whim*	nawyk, zachcianka
Killie	*nickname for Kilmarnock football team*	nazwa klubu piłkarskiego z Kilmarnock
kimmer	*see* cummer	*zob.* cummer

SCOTS	ENGLISH	POLISH
kin	*kind (n)*	rodzaj
kintra	*a country*	kraj
kirk	*a church*	kościół

The Kirk

Potoczna nazwa Kościoła Szkockiego (*Church of Scotland*). Jest to kościół prezbiteriański, powstały po reformacji przeprowadzonej przez Johna Knoxa w 1560 roku. Mniej lub bardziej ścisły związek z tym Kościołem deklaruje w Szkocji 42,4% mieszkańców (według spisu powszechnego z 2001 roku). Rada ds. Opieki Społecznej Kościoła Szkockiego, działająca pod nazwą Crossreach, jest największą w Szkocji instytucją zapewniającą opiekę bezdomnym, osobom starszym, chorym psychicznie, alkoholikom itp.

The Kirk nigdy nie stronił od polityki – w latach dziewięćdziesiątych brał czynny udział w przygotowaniach do uzyskania przez Szkocję częściowej autonomii, zawsze był zagorzałym przeciwnikiem broni atomowej.

Formalne oddzielenie kościoła od państwa nastąpiło w Szkocji w 1921 roku.

Obecnie duża część pastorów Kościoła Szkockiego to kobiety (22% w 2010 roku). Funkcję tę mogą sprawować od 1968 roku. W 2004 roku kobieta po raz pierwszy objęła najwyższe stanowisko w Kościele Szkockim, zostając moderatorem Zgromadzenia Ogólnego.

The common name of the Scottish Church (Church of Scotland). It is a Presbyterian church, founded after the Reformation of 1560 led by John Knox. In Scotland 42.4% of the population (according to the 2001 census) declares a more or less close relationship with the Church. The Church of Scotland's Social Care Council, known as CrossReach, is the largest Scottish provider of social care for the homeless, elderly, mentally ill, alcoholics, etc.

The Kirk does not avoid involvement in politics – in the 1990s it took part in preparations for obtaining devolution for Scotland, and it has always been a firm opponent of nuclear weapons.

The formal separation of church and state took place in Scotland in 1921.

Currently, a large number of the Church of Scotland ministers are women (22% in 2010). All ministries in the church have been open to women since 1968. In 2004, for the first time a woman took the highest position in the Scottish Church, becoming the moderator of the General Assembly.

kirkyaird	*a churchyard*	cmentarz
kis	*because*	bo, ponieważ
kist	*1. the chest (part of the body)*	1. klatka piersiowa
	2. a large box, chest	2. skrzynia
	3. a coffin	3. trumna

SCOTS	ENGLISH	POLISH

Kist o' Dreams
Tytuł płyty z tradycyjnymi
szkockimi kołysankami

dla dzieci.
The title of a CD of traditional
Scottish lullabies for children.

kittle	1. *tickle (v)*	1. łaskotać
	2. *difficult, tricky*	2. trudny
knackie	*skilful*	zręczny
knowe	*a little hill, hillock*	niewielkie wzgórze

Fairy Knowe
Niewielkie wzniesienie tuż za destylarnią whisky w Aberlour. W czasach pogańskich uważane za siedlisko leśnych duszków, które miały naprawdę paskudny charakter – porywały dzieci, hipnotyczną muzyką wabiły ludzi do swego podziemnego królestwa.

A small hill just behind the whisky distillery in Aberlour. In pagan times it was believed to be the home of really nasty forest sprites which kidnapped children, and lured people to their underground kingdom with the hypnotic sound of their music.

kye	*cattle, cows*	bydło, krowy
kyloe	*Highland cattle*	szkocka rasa bydła
kyte	*the stomach, belly*	brzuch
kythe	*show, appear*	pojawić się, pokazać
lade	*mill-race*	strumień poruszający koło młyńskie, młynówka
laft	*a loft*	strych
laich	*low (adj, adv)*	1. niski (nie w odniesieniu do człowieka) 2. nisko
laif	1. *a loaf (of bread)*	1. bochenek (chleba)
	2. *bread*	2. chleb
lair	*a grave*	grób
laird	*a landlord*	właściciel (domu, mieszkania)
laith	1. *loath, unwilling*	1. niechętny
	2. *loathe*	2. nie znosić, nienawidzieć
laldie	*a thrashing*	lanie
▶ gie it laldie	*to do something with great vigour*	robić coś z entuzjazmem, dać z biebie wszystko

SCOTS	ENGLISH	POLISH
lamp	1. *stride along*	1. iść sprężystym krokiem, dużymi krokami
	2. *limp, hobble*	2. kuleć
lane	*lone*	samotny
lang	*long*	długi
lang syne	*long ago*	dawno temu
lass, lassie	*a girl*	dziewczyna
lat	*let, allow*	pozwolić
lauch	*laugh (v)*	śmiać się
laverock	*a lark*	skowronek
leal	*loyal, faithful*	lojalny, wierny
leam	*a gleam of light*	promień, snop (światła)
learn	*teach*	uczyć kogoś
leddy	*a lady*	dama, pani
leddy launners	*a ladybird*	biedronka

leddy launners
biedronka

lee	*lie (v, n)*	1. kłamać
		2. kłamstwo
leet	*a list*	lista
leid	*a language*	język
len	1. *a loan*	1. pożyczka
	2. *lend*	2. pożyczyć (komuś coś)
lenth	1. *length*	1. długość
	2. *a person's height*	2. wzrost (człowieka)
Lerrick	*Lerwick*	
leuk	*look (n, v)*	1. wygląd
		2. wyglądać, patrzeć

SCOTS	ENGLISH	POLISH
licht	*light (adj, n)*	1. jasny, lekki 2. światło
lichtlie	*insult (v)*	obrazić (kogoś)
lichts	*lungs*	płuca
lift	*the sky*	niebo
ligg	*lie, rest*	leżeć
lik	*like (v)*	lubić
line	1. *a prescription* 2. *a note explaining a child's absence at school*	1. recepta 2. usprawiedliwienie nieobecności dziecka w szkole
links	*sandy undulating ground, often with rough grass, near the sea shore. Later applied to a golf course in such an area*	piaszczysty lub porośnięty trawą teren blisko morza; później słowo to zaczęto stosować na określenie pola golfowego na takim terenie
linn	1. *a waterfall* 2. *the pool below a waterfall*	1. wodospad 2. zbiornik wodny pod wodospadem

Reekie Linn

Wodospad w dolinie Glen Isla, w hrabstwie Angus, jeden z najbardziej imponujących wodospadów w Szkocji. Kiedy rzeka jest wezbrana, woda opada jednolitym strumieniem z wysokości 24 metrów. Przy niższym stanie wody w rzece Isla wodospad ma dwie części – sześcio- i osiemnastometrową.

A waterfall in Glen Isla, Angus, one of the most impressive waterfalls in Scotland. When the river is in spate, the stream of water drops from a height of 24 metres. When water levels in the River Isla are low, the waterfall separates into two parts – a six-metre and an eighteen-metre fall.

lippen	1. *trust, count on* 2. *depend on*	1. polegać (na kimś), ufać 2. zależeć (od)
lit	*colour*	kolor
lithe	1. *sheltered* 2. *gentle, kindly*	1. osłonięty (o miejscu) 2. delikatny, życzliwy
Lithgae	*Linlithgow*	
loch	*a lake*	jezioro
lochan	*a little loch*	jeziorko

SCOTS	ENGLISH	POLISH
lood	*loud*	głośny
loon	*a boy, youth, fellow*	chłopiec, chłopak
losh!	*Lord! (exclamation)*	O, Boże!
loss	*lose*	stracić, zgubić
lowe	*1. a flame*	1. płomień
	2. fire	2. ogień
lown	*1. calm, peaceful (e.g.*	1. spokojny (miejsce,
	weather, place, sea)	pogoda, morze)
	2. peace, quietness	2. spokój
lowp	*leap, jump*	skakać
lowse	*loose*	luźny
to be lowsed	*to be released from work*	skończyć pracę danego dnia,
	at the end of the day	być wolnym po pracy
lug	*an ear*	ucho
luif	*the palm of the hand*	dłoń
lum	*a chimney*	komin

Lang May Yir Lum Reek

Tradycyjne szkockie życzenia długiego życia w szczęściu i dostatku, najczęściej składane w Szkocji w Nowy Rok. Pełna wersja tego powiedzenia brzmi *'lang may yir lum reek wi ither fowk's coal'*, czyli 'niech komin twego domu jak najdłużej dymi na cudzym węglu'. Choć można odnieść wrażenie, że jest to zachęta do palenia kradzionym węglem, to tak naprawdę życzenia te są nawiązaniem do dawnego noworocznego zwyczaju first footing (zob. *first fit*), kiedy to odwiedzając przyjaciół 1 stycznia, przynosiło się w podarku bryłkę węgla.

Traditional Scottish New Year wishes of a long life in happiness and prosperity. The full version of this saying is: 'lang may yir lum reek wi ither fowk's coal,' or 'long may your chimney smoke with other people's coal.' Although this seems to be an encouragement to burn stolen coal, in fact it refers to the old New Year's custom of first footing (see first fit), when people visiting friends on 1 January brought a lump of coal as a gift.

Lunnon	*London*	Londyn
ma	*my*	mój
mair	*more*	bardziej, więcej
maist	*most*	najbardziej, najwięcej
mait	*1. food*	1. jedzenie
	2. meat	2. mięso

SCOTS	ENGLISH	POLISH
mak	make (v)	robić
makar	a poet (literally 'a maker')	poeta (dosł. 'twórca')

Makar

Tytuł przyznawany najwybitniejszemu szkockiemu poecie. W 2004 roku jako pierwszy otrzymał go Edwin Morgan. Również poszczególne miasta przyznają takie wyróżnienie swoim najlepszym poetom, na przykład Ron Butlin

został uznany makarem Edynburga w roku 2008.

A title which is awarded to the most eminent Scottish poet. In 2004 Edwin Morgan was the first poet to receive the honour. Individual cities also create makar posts for their best poets, for example Ron Butlin became Edinburgh's Makar in 2008.

mam	a mother	mama
man	a husband	mąż
mannie	a boy, a man (light-hearted or contemptuous)	pogardliwe lub żartobliwe określenie na mężczyznę, chłopca
mappie	a pet name for a rabbit	pieszczotliwe określenie na królika
Maroons	nickname for Heart of Midlothian football team in Edinburgh	potoczna nazwa klubu piłkarskiego Heart of Midlothian z Edynburga (Hearts)
mask	infuse (tea)	zaparzyć (herbatę)
maucht	power, strength	siła
maukin	a hare	zając

Maukin

Zając był kiedyś uważany w Szkocji za zwierzę przynoszące pecha. Na przykład w XVIII wieku powszechnie wierzono, że rybak, który zobaczy zająca, nie powinien tego samego dnia wypływać w morze. Inny przesąd

mówi, że w zająca lub kota często wcielają się czarownice.

In the past in Scotland the hare was thought to be an unlucky animal. For example, in the eighteenth century it was widely believed that a fisherman who saw a hare should not go to sea that day. Another superstition says that witches often inhabit the bodies of hares and cats.

SCOTS	ENGLISH	POLISH
maun	must	musieć
mauna	must not	nie wolno
maw	1. informal name for mother	1. mama
	2. a seagull	2. mewa
meenit	a minute	minuta
mell	mix, blend	mieszać
melt	to hit hard, thrash	mocno uderzyć, pobić
mend	1. reform, improve	1. ulepszyć
	2. heal, get better	2. zagoić się, wyleczyć się
mense	1. common sense, intelligence	1. zdrowy rozsądek, inteligencja
	2. credit	2. uznanie
	3. dignity	3. godność
mensefu	1. polite	1. uprzejmy, grzeczny
	2. sensible	2. rozsądny
	3. respectable	3. godny szacunku
mercat	a market	rynek, targ

Mercat Cross

Mercat cross to niewielka budowla, której centralnym elementem jest kolumna lub wieżyczka (przed reformacją był nim krzyż). Budowle takie stawia-no kiedyś na miejskich targowi-skach (mercats). Początkowo przy mercat cross zbierali się jedynie kupcy, z czasem jednak stał się on ważnym punktem miasta, gdzie odbywały się egzekucje lub odczytywano publiczne obwieszczenia. Po dziś dzień przy edynburskim Mercat Cross odbywa się ceremonia ogłoszenia wyborów powszechnych lub wstąpienia na tron nowego monarchy.

A mercat cross is a small structure, whose central element is a column or tower (before the Reformation it was a cross). Such structures were erected in markets (mercats) in towns. Originally, the mercat cross marked where merchants would gather, but later it became a focal point for many events, like executions or public announcements. To this day, some proclamation ceremonies are held at Edinburgh's Mercat Cross, such as announcing general elections, or a new monarch's accession to the throne.

merchant	1. a shopkeeper	1. właściciel sklepu
	2. a customer	2. klient
merle	a blackbird	kos
Merry Dancers	aurora borealis	zorza polarna
messages	shopping	zakupy

SCOTS	ENGLISH	POLISH
mickle	*see* muckle	*zob.* muckle
midden	1. *rubbish heap*	1. sterta śmieci
	2. *a dustbin*	2. śmietnik
	3. *a mess*	3. bałagan
	4. *a dunghill*	4. gnojówka
middlin	*of medium size or quality*	średni, przeciętny
midgie bin	*a rubbish bin*	śmietnik
midgie man	*a refuse collector*	śmieciarz
midgie raker	*one who rakes through rubbish bins looking for food or valuable items*	ktoś, kto przeszukuje śmietniki, "szperacz śmietnikowy"
mids	*the middle*	środek
mince ▶ yer heid's fou o mince	*you are stupid*	masz sieczkę w głowie
mind	*remember*	przypomnieć sobie, pamiętać
mindin	*a memory, recollection*	wspomnienie
mingin	*smelly, stinking*	śmierdzący
mirk	1. *dark*	1. ciemność
	2. *darken*	2. ciemny
mishanter	*a misfortune*	nieszczęście
miss	1. *fail, fail to happen*	1. nie udać się
	2. *avoid, escape*	2. unikać
▶to miss yersel	*to miss some significant event*	przegapić coś ważnego (i przyjemnego)
mither	*a mother*	matka

The Mither o' the Sea

Według legendy pochodzącej z Orkadów jest to dobra bogini morza, która włada wodami wokół wysp w okresie od przesilenia wiosennego do zimowego, po czym przegrywa bitwę z Teranem, duchem zimy.

According to an Orkney legend, she is a benign sea goddess who rules the waters around the islands from the spring to the autumn equinox, when she loses the battle with Teran, the spirit of winter.

Mither Tap o' Bennachie

Drugi co do wysokości (518m) szczyt w Bennachie Hills, znajdujący się w hrabstwie Aberdeenshire. Na granitowym szczycie znajdują się pozostałości fortu obronnego zamieszkiwanego między rokiem 1000 p.n.e. a 1000 n.e.

The second highest (518m) summit in the Bennachie range, situated in Aberdeenshire. On the granite summit are remains of a fort inhabited between 1000 BCE and 1000 CE.

SCOTS	ENGLISH	POLISH
mixter-maxter	*a mixture*	mieszanina
moch	*a moth*	ćma
mochie	*humid and misty*	wilgotna i mglista (pogoda)
monie, mony	*many*	dużo
▶mony a mickle maks a muckle	*many little things add up to something great*	ziarnko do ziarnka, a zbierze się miarka.
moose	*a mouse*	mysz
mooth	*mouth*	usta, buzia
morn ▶ the morn	*tomorrow*	jutro
▶the morn's morn	*tomorrow morning*	jutro rano
morra ▶ the morra	*tomorrow*	jutro
moss	*boggy ground*	bagno
mou	*a mouth*	buzia, usta
mowdie, mowdiewort	*a mole (an animal)*	kret

mowdie kret

muckle, mickle	1. *much, a lot of* 2. *large, great*	1. dużo 2. duży, ogromny
muin	*a moon*	księżyc
muir	*a moor*	wrzosowisko
mull	1. *a mill* 2. *a headland, promontory (in place names)*	1. młyn 2. cypel (w nazwach geograficznych)

SCOTS	ENGLISH	POLISH
Munro	*any Scottish mountain over 3,000 feet*	góra o wysokości powyżej 3000 stóp

Munro

Nazwą Munro określany jest każdy szczyt o wysokości powyżej 3000 stóp (914.4m). Termin Munro pochodzi od nazwiska Sir Hugh Munro, który w 1891 roku stworzył pierwszą listę takich szczytów. W Szkocji jest 283 Munro. Najbardziej znanym, a jednocześnie najwyższym szczytem Wielkiej Brytanii, jest Ben Nevis (1344m, 4409 stóp). Wśród miłośników chodzenia po górach znane jest hobby o nazwie 'Munro bagging', czyli 'zaliczenie' wszystkich szczytów tego rodzaju w jak najkrótszym czasie. Mimo że Munro nie są imponująco wysokie, warunki do wspinaczki bywają bardzo niebezpieczne z powodu wyjątkowo złej pogody. Dlatego też co roku w szkockich górach odnotowuje się wypadki śmiertelne, na przykład w 2007 roku było ich 20.

A Munro is any mountain higher than 3,000 feet (914.4m). The term comes from the name of Sir Hugh Munro, who in 1891 created the first list of such mountains. In Scotland there are 283 Munros. The best known one, and at the same time the highest mountain in Great Britain, is Ben Nevis (1,344m, 4,409 feet). A popular practice among hillwalkers is 'Munro bagging', that is climbing all the listed Munros in the shortest time possible. Although Munros are not incredibly high, climbing conditions can be very dangerous because of treacherous weather. Consequently, some fatal accidents are recorded each year in the Scottish mountains, for example, in 2007 there were 20.

SCOTS	ENGLISH	POLISH
mutch	*1. a woman's linen cap* *2. an old woman*	1. lniany czepek kobiecy 2. stara kobieta
nae, na	*no; not*	nie
nae bother	*no problem*	nie ma sprawy, nie ma problemu

Fur Coat and Nae Knickers

Wyrażenie używane w odniesieniu do osób snobistycznych. Pierwotnie mieszkańcy Glasgow używali go w odniesieniu do mieszkańców Edynburga.

An expression used to refer to snobs. Originally Glaswegians said it about the people of Edinburgh.

Nae Bother to Us 400

Czterystukilometrowy wyścig kolarski organizowany w Galashiels.

A 400km cycling event starting from Galashiels.

83

SCOTS	ENGLISH	POLISH
naebodie	nobody	nikt
naethin	nothing	nic
nae weel, no weel	unwell, sick	chory
nairra	narrow	wąski
naitur	nature	natura, przyroda
nane	none	żaden
naperie	table linen	nakrycie stołu, obrus
nar	near (adj, adv)	1. bliski 2. blisko
nash	hurry (v)	spieszyć się
naw	see nae	zob. nae
near	nearly, almost	prawie, niemal
Ne'erday	New Year	Nowy Rok
neb	a nose	nos
ned	a yob, yobbo	prymityw, dresiarz, huligan
neep	a swede	brukiew

Neeps and Tatties

Klasyczny dodatek do haggisa.

Składniki:

1 kg ziemniaków
700g brukwi pokrojonej w kawałki
łyżeczka soli
$^1/_4$ kostki masła
80ml ciepłego mleka

Ugotować osobno ziemniaki i brukiew. Ziemniaki ugnieść, dodać 2 łyżki masła i mleko. Miksować ręcznym mikserem, aż będą puszyste. Do ugotowanej brukwi dodać resztę masła i sól, następnie ugnieść ją lub zmiksować. Podawać z haggisem. Danie to jest tradycyjnie podawane w Dzień Roberta Burnsa.

A classic accompaniment to haggis.

Ingredients:
1 kg potatoes
700g swede, diced
teaspoon salt
$^1/_4$ cup butter
80ml of warm milk

Boil the potatoes and turnips separately. Mash the potatoes, add 2 tablespoons of butter and milk. Stir well until they are fluffy. Add the cooked turnip, the remaining butter and salt, then mash. Serve with haggis. This is a dish traditionally served on Burns Night.

84

SCOTS	ENGLISH	POLISH
neist	*next*	następny
nem	*a name*	nazwisko, imię, nazwa
nervish	*nervous*	nerwowy
nestie	*nasty*	okropny
neuk	*a nook*	zakątek, zakamarek, róg, kąt
nevoy	*a nephew*	bratanek, siostrzeniec
newlins	*newly, recently*	niedawno
news	*to chat, talk*	pogadać, porozmawiać
nicht	*a night*	noc
the nicht	*tonight*	dziś wieczorem
nickie tams	*strings or straps traditionally used by farm-workers to tie trousers below the knees*	tasiemki lub paski niegdyś używane przez robotników rolnych do podwiązywania spodni pod kolanem
nieve	*a fist*	pięść
nit	*a nut*	orzech
nocht	*nothing*	nic
noo	*now*	teraz
nor	*than*	niż (w porównaniach)
numpty	*a stupid person*	głupek
nyaff	*1. a worthless, unimportant person*	1. zero (o osobie)
	2. a conceited person	2. zarozumialec
o'	*of*	
ocht	*anything, nothing*	nic
oncome	*1. beginning, progress*	1. postęp, rozwój
	2. a heavy fall of rain or snow	2. intensywne opady (deszczu lub śniegu)
onie	*any*	jakiś, żaden
oniebody	*anybody*	ktokolwiek, ktoś, nikt
oniething	*anything*	cokolwiek, coś, nic
oo	*wool*	wełna
►oos	*fluff*	kłaczki, puszek, koty (z kurzu)
oor	*1. an hour*	1. godzina
	2. our	2. nasz
oorie	*strange, eerie*	upiorny
oot	*out*	na zewnątrz

85

SCOTS	ENGLISH	POLISH
ootcome	1. *profit* 2. *result*	1. zysk 2. wynik, rezultat

orra	1. *strange, uncommon*
	2. *occasional, casual*
	   (e.g. job)
		1. dziwny
		2. nieregularny, sporadyczny,
		   dorywczy (np. praca)

outwith	*outside, out of, beyond*	na zewnątrz, poza (zasięgiem, granicą itp.)
owerance	*control (n)*	kontrola, dominacja
owerset	1. *overturn* 2. *translate*	1. wywrócić, obalić 2. tłumaczyć (z jednego języka na drugi)
oxter	*an armpit*	pacha
Pace	*Easter*	Wielkanoc, wielkanocny
Paisley briefcase	*a plastic carrier bag* *(jocular)*	foliowa torba na zakupy (żartobliwie)
park	*a field*	pole
parritch	*porridge*	owsianka
partan	*a crab*	krab

Partan Bree

Składniki:

1 duży ugotowany krab
50g ryżu
600ml mleka
600ml wywaru z gotowanego kraba
125ml słodkiej śmietanki
sól i pieprz
posiekany szczypiorek

Usunąć mięso z kraba, osobno odłożyć mięso ze szczypców. Ugotować ryż
w mleku z wywarem i zmiksować go z brązowym mięsem. Dodać kawałki
białego mięsa i śmietankę. Dodać pieprz i sól. Jeśli zupa jest zbyt gęsta,
można dolać mleka. Posypać szczypiorkiem.

Ingredients:

1 large cooked crab
50g rice
600ml milk
600ml of the liquid from boiling the crab

125ml single cream
Salt and pepper
chopped chives

*Remove the meat from the crab, keep the claw meat separate. Cook the rice in the milk with the
crab broth and blend it with the brown meat. Add the pieces of white meat and cream. Add
salt and pepper. If the soup is too thick, you can add some milk. Sprinkle with chives.*

SCOTS	ENGLISH	POLISH
pass	a pace, a step	krok
pauchle	1. steal, cheat	1. kraść, oszukiwać
	2. shuffle, struggle along	2. powłóczyć nogami, iść z trudem
	3. work ineffectually, bungle	3. robić coś nieudolnie, spartaczyć
paw	a dad	tata
pawkie	1. shrewd	1. sprytny, bystry
	2. roguish	2. łobuzerski, szelmowski
pech	pant, puff	dyszeć
peedie	small, tiny	mały
peelie-wallie	sickly, feeble, ill-looking	słabowity, rachityczny, wątły
peenge	moan, complain	marudzić, narzekać
peenie	1. an apron	1. fartuch kuchenny
	2. tummy (child's word)	2. brzuszek (słowo używane przez dzieci)
peerie	small, tiny	mały
peesweep	a lapwing	czajka
pen	a pointed conical hill (in place names)	stożkowate wzgórze (w nazwach geograficznych)
penny	money	pieniądze
perfit	perfect	doskonały
Peterheid	Peterhead	
photie	a photo	zdjęcie
piece	a sandwich	kanapka
▶jeely piece	a jam sandwich	kanapka z dżemem
pished	very drunk	pijany, zalany
pit	put	położyć
plenish	furnish	umeblować
plettie	a landing on a stair	podest schodów
plook	a pimple	pryszcz
plowter	splash about	chlapać
plump	a heavy downpour of rain	ulewa
plunk school	play truant	chodzić na wagary
pock, poke	a bag	torba
poind	to impound goods of a debtor	skonfiskować rzeczy należące do dłużnika
pooch	a pocket	kieszeń

SCOTS	ENGLISH	POLISH
postie	*a postman*	listonosz
pou	*pull*	ciągnąć
pouss	*push*	pchać
preen	*a pin*	szpilka
preses	*a chairperson*	przewodniczący, prezes
prig	*1. beg, plead* *2. haggle*	1. błagać 2. targować się
procurator fiscal	*a public prosecutor*	oskarżyciel publiczny
prood	*proud*	dumny
provost	*the head of a Scottish burgh*	burmistrz
puddock	*a frog, a toad*	żaba, ropucha

puddock
żaba

puddock stuil	*a toadstool*	muchomor
puggie	*1. a monkey* *2. a fruit-machine*	1. małpa 2. automat do gry
puirtith	*poverty*	bieda
pump	*break wind*	puścić bąka
pursuer	*a plaintiff*	powód, powódka
pushion	*poison (n)*	trucizna
pyot	*a magpie*	sroka
quaich	*a shallow two-handled cup, now used for trophies and prizes*	płytki puchar z dwoma uchwytami, obecnie używany jako trofeum, nagroda dla zwycięzcy
quate	*quiet (adj, n)*	1. spokojny 2. spokój
quine	*a girl*	dziewczyna
rack	*1. stretch, pull* *2. twist, dislocate*	1. rozciągnąć, ciągnąć 2. skręcić, zwichnąć

SCOTS	ENGLISH	POLISH
radge	1. *furious* 2. *crazy, wild*	1. wściekły 2. szalony
rael	1. *real* 2. *very, extremely*	1. prawdziwy 2. bardzo
rag	1. *scold* 2. *a wet mist, drizzle*	1. zrugać (kogoś) 2. mokra mgła, mżawka
raik	1. *move, go forward* 2. *a journey, stroll*	1. poruszać się 2. podróż, spacer
raip	*a rope*	sznur
raise	1. *rouse from sleep* 2. *infuriate*	1. obudzić 2. rozwścieczyć
raivelt	*confused*	zdezorientowany
rake	*search (v) (also a person)*	szukać, obszukać, zrewidować (osobę)
rammy	*a free-for-all*	bijatyka
randie	*aggressive*	agresywny
rannoch	*fern*	paproć

Rannoch Moor

Wyjątkowo malownicze, bagienne wrzosowiska usiane jeziorami, jeziorkami i strumieniami, otoczone wzgórzami o wysokości 2000–3000 stóp (ok. 600–900 metrów). Rannoch Moor obejmuje teren o powierzchi 130 km kwadratowych.

An area of picturesque boggy moorland dotted with streams and lakes big and small, surrounded by hills of 2,000– 3,000 feet (about 600–900 metres). Rannoch Moor covers about 130 square kilometres.

Rashiecoat	*the name of the heroine of a Scottish tale similar to Cinderella*	imię bohaterki szkockiej bajki, podobnej do bajki o Kopciuszku
rasp	*a raspberry*	malina
ratton	*a rat*	szczur
raw	1. *a row, a line* 2. *a row of houses*	1. rząd 2. szereg domów
rax	1. *stretch, stretch yourself* 2. *reach (for something)*	1. rozciągać, przeciągać się 2. sięgać (po coś)
reak	*reach (v)*	dosięgać, osiągać
receipt	1. *a medical prescription* 2. *a recipe*	1. recepta 2. przepis (kulinarny)

SCOTS	ENGLISH	POLISH
redd (up)	1. *clear, tidy up*	1. sprzątać
	2. *sort out (a problem)*	2. rozwiązać (problem)
	3. *put in order, arrange*	3. układać, porządkować

Da Voar Redd up

(Akcja 'wiosenne porządki')

Co roku wiosną na Szetlandach mieszkańcy sprzątają plaże i pobocza dróg. Z powodu bardzo silnych zimowych wiatrów morze wyrzuca na szetlandzkie plaże mnóstwo śmieci. W akcji sprzątania biorą udział wyłącznie ochotnicy – około 3000 osób na

26000 mieszkańców wysp.

Da Voar Redd Up ('Spring Cleaning' Event)

Every spring Shetland residents clean up their beaches and roadsides. Due to the very strong winter winds, the sea throws a lot of rubbish up on to the Shetland beaches. The cleanup is undertaken exclusively by volunteers – about 3,000 out of the population of 26,000 inhabitants of the islands.

reek	*smoke (n, v)*	1. dym 2. dymić
reel	*a lively Scottish dance*	rodzaj szkockiego tańca
reeshle	*a rustle*	szelest
reid	*red*	czerwony
reive	*plunder, pillage, rob*	grabić, plądrować, rabować
remember	*remind a person of something*	przypomnieć komuś o czymś
repel	*to overrule (an objection)*	odrzucić, uchylić (sprzeciw)
retiral	*retirement*	przejście na emeryturę, emerytura
richt	*right (adj)*	prawy (np. o stronie); prawidłowy
rickle	*a heap, pile*	sterta, stos
riddy ▶ to get a riddy	*to blush*	zaczerwienić się
rig	*the back, backbone*	grzbiet
rig-bane	*a spine*	kręgosłup
rin	*run*	biec
rone	*the horizontal gutter for rainwater along the eaves of a roof*	rynna biegnąca wzdłuż dachu
roond	*round (adv, adj)*	1. dokoła 2. okrągły
rouk	*mist, fog*	mgła

90

SCOTS	ENGLISH	POLISH
roup	1. *a public auction* 2. *to cry, shout*	1. aukcja publiczna 2. wołać, krzyczeć
rowe	1. *to roll* 2. *a roll*	1. zwinąć, zawinąć, toczyć się 2. bułka
rowie	*a bread roll made with* *a lot of butter*	rodzaj tłustej bułki zawierającej dużo masła
rowth	*abundance*	obfitość, mnóstwo
rug	*pull, tug*	ciągnąć, szarpać
ruif	*a roof, a ceiling*	dach, sufit
rummle	*rumble (v)*	dudnić, burczeć
Sabbath	*Sunday*	niedziela

Sabbath Wars
(Wojna o niedzielę)

Tak określa się walkę Wolnego Kościoła Szkockiego (*The Free Kirk*) i jego radykalnych wyznawców o zachowanie niedzieli jako dnia 'świętego'. Na przykład, uruchomienie niedzielnych rejsów promu kursującego między stałym lądem, a Isle of Lewis, spotkało się z ostrym sprzeciwem. Kiedy ze

Stornoway odpływał pierwszy taki prom, na nabrzeżu zebrała się grupa protestujących mieszkańców.

This refers to the struggle of the Free Church of Scotland (The Free Kirk) and its radical followers to keep Sunday as a 'holy' day. For example, the introduction of a Sunday ferry service between the mainland and the Isle of Lewis met with strong opposition. When the ferry first sailed out of Stornoway, a group of residents was protesting on the quay.

sae	*so*	1. więc 2. tak (np. tak bardzo, tak dużo)
saft	*soft*	miękki
saip	*soap*	mydło
sair	1. *hard, severe* 2. *sore*	1. ciężki, trudny (choroba, problem) 2. bolący, obolały
sakeless	1. *innocent* 2. *feeble-minded, silly*	1. niewinny 2. ograniczony umysłowo, niemądry
sang	*a song*	piosenka
sappie	*juicy*	soczysty
sark	*a shirt*	koszula
Sassenach	*an English person* *(humorous or derogatory)*	Anglik, Angielka (żartobliwie lub pogardliwie)

91

SCOTS	ENGLISH	POLISH
sate	*a seat*	siedzenie
sauch	*willow*	wierzba
sauf	*1. safe* *2. save*	1. bezpieczny 2. uratować
saul	*a soul*	dusza
saut	*salt*	sól
sax	*six*	sześć
scaffie	*a refuse collector*	śmieciarz
scance	*a quick appraising look,* *a cursory survey*	pobieżna ocena, przegląd, badanie
scart	*scratch, scrape*	drapać
schemie	*a person who lives on a* *housing estate, a low-* *class person (derogatory)*	ktoś, kto mieszka na osiedlu komunalnym, ktoś z najniższej klasy społecznej, dresiarz (pogardliwie)
schuil	*a school*	szkoła
sclim	*climb (v)*	wspinać się
scone	*a semi-sweet cake*	rodzaj lekko słodzonej bułki

Scones

Bułeczki, które można podawać na zimno lub na ciepło, z masłem i dżemem lub bitą śmietaną i truskawkami.

Składniki:

25g cukru
szczypta soli
225g mąki z proszkiem do pieczenia (self-raising flour)

25–50g masła lub margaryny
trochę mleka

Przesiać mąkę i dodać sól. Dodać masło i cukier, następnie wyrabiać dolewając tyle mleka, aby ciasto dało się rozwałkować. Ciasto rozwałkować na grubość ok. 2 cm i pociąć na kawałki o długości ok. 5 cm. Ułożyć na blaszce i piec w temperaturze 230 stopni (bieg 7) przez ok. 10 minut.

Rolls that can be served cold or hot, with butter and jam or whipped cream and strawberries.

Ingredients:
25g sugar
pinch of salt
225g self-raising flour

25–50g butter or margarine
some milk

Sift the flour and add salt. Add the butter and sugar, then knead, adding enough milk to get a rolling consistency. Roll out the dough to about 2 cm thickness and cut into pieces of about 5 cm wide. Place on a baking tray and bake at 230 degrees (gas mark 7) for about 10 minutes.

SCOTS	ENGLISH	POLISH
Scotch broth	a soup made from mutton, barley and peas	tradycyjna zupa szkocka na baraninie, z pęczakiem i grochem

Scotch Broth

Składniki:

250g pokrojonej marchwi
250g pokrojonej brukwi
2 cebule pokrojone w kostkę
1 łodyga selera pokrojona w kostkę
pokrojona biała część jednego
pora
75–125g pęczaku

125g grochu (moczonego w wodzie
4–5 godzin)
sól i pieprz
2 do 2.5 litra wywaru z baraniny
(lub kostki rosołowej z baraniną)
85g posiekanych liści kapusty
karbowanej (składnik ten nie jest
konieczny)

Przygotowanie:

Wszystkie składniki, oprócz kapusty, zagotować. Gotować na małym ogniu
przez 2–3 godziny, aż pęczak i groch zmiękną. Dodać kapustę i gotować
jeszcze 10–12 minut. Doprawić do smaku solą i pieprzem.

Ingredients:
250g chopped carrots
250g chopped swede
2 onions, diced
1 stalk celery, diced
sliced white part of leek

75–125g barley
125g peas (soaked in water 4–5 hours)
Salt and pepper
2 to 2.5 litres of mutton stock
85g shredded cabbage leaves (optional)

Method:
Add all the ingredients except the cabbage and boil. Cook over low heat for 2–3 hours, until peas are tender and hulled. Add cabbage and cook for 10–12 minutes. Season to taste with salt and pepper.

SCOTS	ENGLISH	POLISH
scrieve	write	pisać
scunner	1. to disgust 2. something or somebody disgusting	1. wzbudzać wstręt 2. obrzydliwa osoba lub rzecz
scunnered, scunnert	bored, fed up, disgusted	znudzony, niezadowolony, pełen obrzydzenia
scunnersome	disgusting	obrzydliwy, budzący wstręt
seek	1. wish, desire (v) 2. bring, fetch	1. pragnąć 2. przynieść
sei	1. see 2. look at	1. widzieć 2. patrzeć
seeven	seven	siedem

SCOTS	ENGLISH	POLISH
selch, selkie	*a seal (an animal)*	foka

Selkie Folk

czyli ludzie-foki, to istoty występujące, między innymi, w baśniach z Orkadów i Szetlandów. Legenda mówi, że potrafią zrzucić foczą skórę i przybrać ludzką postać. Jeśli jednak focza skóra zaginie, człowiek-foka nie będzie mógł wrócić do podwodnego królestwa. Ludzie-foki są bardzo atrakcyjni i często wchodzą w związki ze śmiertelnikami. Podobno wystarczy, żeby kobieta szukająca kochanka wyszła na brzeg morza i uroniła do wody siedem łez, a mężczyzna-foka zjawi się jak na zawołanie... Historię miłości między piękną *selkie*, a rybakiem opowiada irlandzki film pt. 'Ondine', w którym tytułową rolę gra Alicja Bachleda.

'Selkie Folk' means seal-people, found in the fairy tales of Orkney and Shetland among others. According to legend a selkie can shed its skin and take human form. But if the solid seal skin is lost, the seal-man will not be able to return to the underwater kingdom. Seal-people are very attractive and often have relationships with mortals. Apparently, all a woman seeking a lover has to do is go to the shore and shed seven tears into the water, for the seal-man to show up as if on cue ... The Irish film 'Ondine', with Alice Bachleda in the title role, tells the love story between a beautiful Selkie and a fisherman.

semmit	*a man's undershirt*	podkoszulek
set	*sit, be seated*	usiąść, siedzieć
sgian dubh	*see* skean dhu	*zob.* skean dhu
shae	*a shoe*	but

shair	*see* shuir	*zob.* shuir
shape ▶ mak a shape	*make an effort*	dokonać wysiłku
shairn, sharn	*dung, excrement (especially of cattle)*	łajno, krowia kupa

SCOTS	ENGLISH	POLISH
shankie, shunkie	*a toilet*	toaleta
shaws	*the stalks and leaves of vegetables*	łodygi i liście warzyw
sheen	*1. shoes* *2. shine (v)*	1. buty 2. świecić
sheltie	*Shetland pony*	kucyk szetlandzki
shenachie	*a storyteller of Celtic tales*	bard, gawędziarz, kronikarz klanu

Shenachie

Kronikarz klanu, osoba odpowiedzialna za zbieranie i przekazywanie następnym pokoleniom informacji na temat genealogii, obyczajów, praktyk religijnych oraz legend związanych z danym klanem. W Szkocji i Irlandii *shenachie* był strażnikiem tradycji ustnego przekazu.

Określenie to odnosiło się również do każdego wędrownego lub wiejskiego gawędziarza, który opowiadaniem historii i baśni zarabiał na chleb.

The chronicler of the clan, the person responsible for the collection and the transmission to future generations of the information on genealogy, customs, religious practices and legends associated with the clan. In Scotland and Ireland the shenachie was a guardian of the tradition of oral transmission.

This term also refers to any travelling or village storyteller, who earned his bread by telling stories and fairy tales.

sheriff	*a chief judge*	sędzia okręgowy
shieling	*a hut for shepherds or fishermen*	chatka pasterzy lub rybaków
shift	*1. change (e.g. your clothes, shoes)* *2. a change of situation*	1. zmienić (np. ubranie, buty) 2. zmiana sytuacji
shilpit	*thin, starved-looking*	wychudzony
shine	*1. a social gathering* *2. throw with force, fling*	1. spotkanie towarzyskie 2. rzucić, cisnąć
shooder	*a shoulder*	ramię
shoogle	*shake, wobble*	potrząsać
shuin	*shoes*	buty
shuir	*sure*	pewny
shuit	*shoot*	strzelać
shunkie	*see shankie*	zob. shankie

SCOTS	ENGLISH	POLISH
shyve	throw with force	rzucić, cisnąć
sic	such	taki
siccar	1. safe 2. firm, stable 3. sure, certain	1. bezpieczny 2. stabilny 3. pewny
mak siccar	make sure	upewnić się, dopilnować
sicht	a sight	widok
siclike	suchlike	tym podobne
siller	1. silver 2. money	1. srebro 2. pieniądze
silly	helpless, weak, sickly	bezradny, słaby, chory
simmer	summer	lato
simmer dim	nightlong twilight in midsummer (in Orkney and Shetland)	białe noce (na Orkadach i Szetlandach)
sin	1. son 2. pity, shame	1. syn 2. szkoda
sinder	sunder (v)	rozdzielić, oddzielić, rozerwać
sindrie	sundry (adj)	różny, różnorodny
single end	a one-roomed flat or house	kawalerka, jednopokojowy domek
single fish	piece of fish without chips when buying a fish supper	ryba smażona bez frytek
single malt	a whisky made from malted barley, distilled at one distillery and not mixed or 'blended' with other whiskies	whisky słodowa z jęczmienia, produkowana w jednej destylarni, nie mieszana z innymi rodzajami whisky.
skail	1. spill, pour out 2. scatter	1. rozlać, wylać 2. rozproszyć
skaith	damage, hurt, harm (n, v)	1. krzywda, obrażenia ciała, uszkodzenie 2. uszkodzić, zranić
skean dhu, sgian dubh	a sheath-knife or dagger worn in the stocking as part of the Highland dress	nóż lub sztylet w pochwie stanowiący część tradycyjnego szkockiego stroju, zazwyczaj wsunięty za wełnianą skarpetę
skelf	1. a splinter 2. a small thin person	1. drzazga 2. chudzielec

SCOTS	ENGLISH	POLISH
skellum	*a scamp, rogue, scoundrel*	łobuz, drań, nicpoń
skelp	1. *strike, hit*	1. uderzyć, walnąć
	2. *a blow, a smack*	2. uderzenie, klaps
skep-bee	*the honey bee*	pszczoła miodna
skinnymalinky	*an extremely thin person*	chudzielec

Skinny Malinky

Postać z popularnej rymowanki dziecięcej. Istnieje wiele jej wersji. Oto jedna z nich:

A character from a popular nursery rhyme. There are many versions, of which this is one:

Skinny-malinky long legs,
Big banana feet,
Went to the pictures
And fell through the seat.

---

skirl	*scream (v, n)*	1. krzyczeć 2. krzyk
skirlie	*a dish of oatmeal and onion fried together*	płatki owsiane smażone z cebulą

Skirlie

Skirlie używa się jako farsz do kurczaka lub indyka albo jako dodatek do stovies, czy jakiegokolwiek dania mięsnego.

Składniki:

50g masła
175g średniej grubości
płatków owsianych
1 lub 2 cebule drobno posiekane
sól i pieprz

Na maśle podsmażyć cebulę, aż zmięknie.
Wsypać płatki, dodać sól i pieprz i smażyć 10 minut.

Skirlie is used as a stuffing for chicken or turkey, or as an addition to stovies, or any meat dish.

Ingredients:
50g butter
175g medium oatmeal
1 or 2 onions, finely chopped
Salt and pepper

Fry onion in butter until softened.
Add oats, salt and pepper and cook for 10 minutes.

SCOTS	ENGLISH	POLISH
skite	1. *slip, slide (v)*	1. pośliznąć się, ślizgać się
	2. *bounce, ricochet*	2. odbić (się), odbić się rykoszetem
skitters	*diarrhoea*	biegunka
skoosh	1. *a splash, spurt (of liquid)*	1. chlapnięcie
	2. *lemonade*	2. lemoniada
skreich	*screech, shriek (n, v)*	1. krzyk 2. krzyczeć
skulk	*play truant*	wagarować
sky	*daylight, sunlight*	światło dzienne, światło słoneczne
slainte, slainte mhath	*cheers!*	na zdrowie! (kiedy wznosimy toast)
sleekit	1. *smoothed, sleek*	1. gładki, lśniący
	2. *sly, cunning, untrustworthy*	2. przebiegły, niegodny zaufania
sma	1. *small*	1. mały
	2. *slim, narrow*	2. szczupły, wąski
smeddum	*energy, drive, vigour*	energia, wigor
smirk	1. *smile in a pleasant, friendly way*	1. uśmiechać się miło
	2. *a pleasant smile*	2. miły uśmiech
smirr	*drizzle*	drobny deszcz, mżawka
smittin	*infectious*	zaraźliwy
smore, smoor	*smother, suffocate*	udusić się
snash	*cheek, abuse*	bezczelność, obelga
snaw	*snow*	śnieg
sneck	*a latch, catch of a door*	haczyk, zasuwka (na drzwiach)
sneistie	*contemptuous, sneering*	pogardliwy, kpiący
snell	*bitter, severe (e.g. wind)*	przenikliwie zimny (np. wiatr)
snib	*a bolt, catch on a door or window*	zasuwka, rygiel
snod	1. *smooth*	1. gładki, równy
	2. *tidy, neat*	2. elegancki, schludny
snoot	*a snout*	pysk, ryj (zwierzęcia); pysk, ryj, nochal (człowieka)
sober	1. *poor, miserable*	1. biedny, nieszczęśliwy
	2. *in poor health*	2. słabego zdrowia

SCOTS	ENGLISH	POLISH
sodger	*a soldier*	żołnierz
something	*a little, somewhat*	trochę, nieco
sonsie	*1. attractive*	1. atrakcyjny
	2. plump, chubby	2. okrągły (twarz, figura), pulchny, puszysty
sook	*suck*	ssać
soom	*swim*	pływać
soond	*a sound*	dźwięk
soor	*sour*	kwaśny
sooth	*south (n, adj, adv)*	1. południe 2. południowy 3. na południe
sorn	*scrounge, sponge*	pasożytować, żyć na cudzy koszt
sorra	*sorrow*	smutek
sotter	*a mess, muddle*	chaos, bałagan
souch	*a sigh*	westchnienie
souter	*1. shoemaker*	1. szewc
	2. a native of Forfar or Selkirk	2. mieszkaniec Forfar lub Selkirk
spae	*prophesy, tell fortunes*	wróżyć
spae wife	*a fortuneteller*	wróżka, wróżbita

Spae Wife

Według dziewiętnastowiecznego badacza folkloru Orkadów, *spae wife* to kobieta posiadająca wiedzę na temat czarów oraz ponadnaturalne zdolności, ale, w odróżnieniu od czarownic, wykorzystująca magię tylko w celu czynienia dobra. 'Dobre czarownice' potrafiły leczyć, objaśniać sny, przepowiadać przyszłość i chronić przed urokami rzucanymi przez wiedźmy. Niestety wiele z nich zamordowano w okresie polowań na czarownice.

According to a nineteenth-century Orkney folklorist, the spae wife was a woman who had a knowledge of witchcraft and supernatural powers, but who, unlike the witch, used magic to do only good. Such 'good witches' were able to heal, to explain dreams, to tell the future and to protect against charms cast by evil witches. Unfortunately, many of them were killed in witch hunts.

spaiver	*flies (on trousers)*	rozporek
spate	*1. a downpour of rain*	1. ulewa
	2. a flood	2. powódź

SCOTS	ENGLISH	POLISH
speik	*speak*	mówić
speir	*1. a question*	1. pytanie
	2. ask	2. pytać
speug	*a sparrow*	wróbel
spile	*spoil*	zepsuć
splore	*1. a party, celebration*	1. uroczystość, impreza
	2. an escapade	2. wypad, eskapada
sporran	*the pouch that hangs*	futrzana torebka noszona
	from a man's belt in	z przodu kiltu
	front of the kilt	

Sporran

Tradycyjna część szkockiego stroju, rodzaj torebki zastępującej kieszenie, których w kilcie brakuje. *Sporran* jest zawieszony na pasku lub łańcuszku i noszony z przodu kiltu. Najczęściej wykonany ze skóry i futra (teraz często sztucznego). W 2010 roku wprowadzono w UE zakaz wykorzystywania foczej skóry do jakichkolwiek wyrobów, co skomplikowało życie producentom sporranów, ponieważ elegancki sporran na specjalne okazje zawsze wykonywano ze skóry foki.

A traditional piece of Scottish dress, a kind of pouch which performs the same function as pockets which are missing on a kilt. The sporran is suspended from a chain or a leather strap and is worn on the front of the kilt. It is usually made of leather and fur (now often synthetic). In 2010 the EU introduced a ban on the use of sealskin in any product, which complicated the work of sporran producers, as a sleek sporran for special occasions was always made of sealskin.

spuin	*a spoon*	łyżka
stair	*a staircase, stairs*	klatka schodowa, schody

SCOTS	ENGLISH	POLISH
stammygaster	*a shock, unpleasant surprise*	szok, nieprzyjemna niespodzianka
stance	*a taxi rank*	postój taksówek
stane	*a stone*	kamień

The Caiy Stane

Wysoki na 2.75 metra neolityczny głaz, znajdujący się w małej uliczce Caiystane View, w południowej części Edynburga. Prawdopodobnie postawiono go tu około 3000 lat p.n.e. na oznaczenie miejsca obrządku lub pochówku. W pobliżu głazu archeologowie odkryli pozostałości grobów z epoki brązu (2000–1000 lat p.n.e.).

A 2.75-metre high Neolithic stone found in Caiystane View, a small street in south Edinburgh. It was probably erected here around 3000 BCE to mark a place of ceremony or burial. Close to the stone, archaeologists discovered the remains of a Bronze Age tomb (2000–1000 BCE).

The Dwarfie Stane

The Dwarfie Stane znajduje się na wyspie Hoy, na Orkadach. Jest to wydrążony w środku blok czerwonego piaskowca o długości 8.5 metra, służący niegdyś jako grobowiec. Archeologowie twierdzą, że to jedyny albo jeden z dwóch tego typu grobowców w Wielkiej Brytanii. Przyjmuje się, że Dwarfie Stane powstał ok. roku 3000 p.n.e. Wewnątrz znajdują się dwa wykute w skale miejsca na zwłoki, są one jednak za małe dla człowieka. Stąd wzięła się miejscowa legenda, mówiąca że w środku mieszka karzeł o imieniu Trollid.

The Dwarfie Stane can be found on the island of Hoy, in Orkney. It is a hollow block of red sandstone 8.5 metres long, that once served as a tomb. Archaeologists say that this is the only one, or one of only two tombs of this type in Britain. It is assumed that the Dwarfie Stane was made around 3000 BCE. Inside there are two rock-cut niches for bodies, but they are too small for a man. Hence the local legend which says that it was inhabited by a dwarf named Trollid.

SCOTS	ENGLISH	POLISH
starn	*a star*	gwiazda
staun	*stand*	stać
stay	*live, dwell*	mieszkać
steamin	*drunk*	pijany
steek	*close, shut*	zamknąć
Steenhive	*Stonehaven*	
stert	*start (v)*	zacząć
stookie	*1. stucco* *2. a plaster cast on a broken leg*	1. tynk 2. gips (na złamanej nodze)
stoon	*a sharp pain, an ache*	ból

SCOTS	ENGLISH	POLISH
stoot	1. *fat, stout* 2. *in good health*	1. gruby, krępy 2. o dobrym zdrowiu
stot	1. *stagger, walk unsteadily* 2. *bounce (of a ball)*	1. iść niepewnie, zataczać się 2. odbijać (piłkę)
stotter	*an attractive woman*	atrakcyjna kobieta, dziewczyna
stottin	*drunk*	pijany
stour	1. *a battle, conflict* 2. *dust*	1. bitwa 2. kurz
stourie	*dusty*	zakurzony
stovies	*a dish of stewed potatoes,* *onions and sometimes meat*	gulasz z ziemniaków, cebuli a czasami również mięsa

Stovies

Istnieje wiele wariantów tego dania. Poniższy przepis jest bardzo podstawowy i można go wzbogacić wedle uznania, na przykład dodając warzywa.

Składniki:

100–200g baraniny lub wołowiny (pieczonej lub gotowanej) pokrojonej w kostkę
70dkg ziemniaków w plasterkach
1 lub 2 cebule pokrojone na cienkie plasterki
1 łyżka tłuszczu z mięsa lub oleju
bulion
sól, pieprz, gałka muszkatołowa, mieszanka przypraw (*mixed spice*)
zielona pietruszka lub szczypiorek

Na dnie garnka ułożyć na roztopionym tłuszczu warstwę ziemniaków, na to warstwę cebuli, a następnie mięsa. Wlać tyle bulionu, żeby wszystko zakrył. Ponownie ułożyć takie same trzy warstwy i dodać przyprawy. Gotować pod przykryciem, na średnim gazie, około 30 minut, aż ziemniaki zmiękną. Posypać pietruszką lub szczypiorkiem.

There are many variants of this dish. The following recipe is very basic and can be modified according to taste, for example, by adding vegetables.

Ingredients:

100–200g diced lamb or beef (baked or roasted)
700g sliced potatoes
1 or 2 onions, cut into thin slices
1 tablespoon meat dripping or oil
stock
salt, pepper, nutmeg, mixed spice
green parsley or chives

Melt the dripping in a pan, add a layer of sliced potatoes, then a layer of onion and a layer of meat. Pour in enough stock to cover everything. Put in the same three layers again and season to taste. Cover and cook over a low heat for about 30 minutes until the potatoes are tender. Sprinkle with parsley or chives.

SCOTS	ENGLISH	POLISH
stramash	1. an uproar, commotion 2. an accident	1. zamieszanie 2. wypadek
stramp	tread, trample (on)	deptać
strang	1. strong 2. strongly	1. silny 2. silnie
strath	a river valley, especially when broad and flat	dolina rzeki, zwłaszcza szeroka i płaska

Strath

Szeroka, rozłożysta dolina rzeki o łagodnym krajobrazie. W przeciwieństwie do doliny typu glen, *strath* nie jest otoczona wysokimi górami.

Słowo to występuje w wielu szkockich nazwach miejsc, na przykład Strathclyde czy Strathspey. Strathspey, czyli dolina rzeki Spey, jest ważnym i ciekawym miejscem w Szkocji. Jest to jedno z głównych centrów produkcji whisky, znajdują się tam aż 52 destylarnie. W tym rejonie również znajdują się znane ośrodki turystyczne, takie jak Aviemore czy Kingussie. Niedawno próbowano zastąpić szkocką nazwę Strathspey nazwą angielską 'Spey Valley', jednak pomysł ten spotkał się ze zdecydowanym sprzeciwem.

A wide and shallow river valley characterised by gentle landscape. Unlike a glen, a strath is not surrounded by high mountains.

This word occurs in many Scottish place names, such as Strathclyde or Strathspey. Strathspey, the valley of the River Spey, is an important and interesting place. It is one of the main centres of whisky production – there are as many as 52 distilleries there. Famous tourist resorts such as Aviemore and Kingussie are also in this area. It has recently been suggested that the Scottish name Strathspey should be replaced with the English name 'Spey Valley', but the idea met with considerable opposition.

straucht	straight (adj, adv)	1. prosty 2. prosto
stravaig	roam, wander	wędrować, włóczyć się
stuil	a stool	stołek
stushie	a quarrel, commotion	kłótnia, zamieszanie
succar	sugar	cukier
suddent	sudden	nagły
suin	soon	wkrótce
sumph	a stupid, slow-witted person	tępa, ociężała umysłowo osoba
sundoun	sunset	zachód słońca

SCOTS	ENGLISH	POLISH
supper ▶ a fish supper, a sausage supper	chips plus fish or sausage, served all day	danie z frytkami np. ryba z frytkami, kiełbasa z frytkami, podawane cały dzień
swack	active, supple	zwinny, giętki
swank	agile, strong	ruchliwy, silny
swatch	1. a sample of fabric 2. a glimpse	1. próbka tkaniny 2. przelotne, szybkie spojrzenie, mignięcie
sweem	see soom	zob. soom
sweer	swear	przysięgać
sweir, sweirt	lazy, unwilling	leniwy, niechętny
sweit	sweat (n, v)	1. pot 2. pocić się
swick	1. cheat 2. a trick, swindle	1. oszukiwać 2. oszustwo
swith	quick, quickly	szybki, szybko
swither	dither, hesitate	wahać się
syboes	spring onions	szczypiorek, dymka
synd	rinse	spłukać
syne	1. next, afterwards 2. ago, before now 3. from then, since, thereafter	1. później, potem 2. dawno, przedtem 3. od tamtej pory
tablet	type of sweet, like fudge but harder	rodzaj słodyczy, bardzo twarda krówka
tae	to	do
tait	1. a small tuft 2. a small amount, a bit	1. mała kępka (włosów, trawy itp.) 2. odrobina, odrobinę
tak	take	brać
tak tent	take care	uważać, być ostrożnym
Tammie norrie	a puffin	maskonur

Tammie norrie

maskonur

SCOTS	ENGLISH	POLISH
tap	1. *the top* 2. *a tip, an end*	1. szczyt, czubek 2. końcówka
tappit hen	1. *a tufted hen* 2. *a kind of decanter for beer or wine*	1. czubata kura 2. duży metalowy kufel do piwa lub wina

---

Tappit Hen

Rodzaj metalowego kufla z przykrywką, nazywanego tak z powodu sterczącej ozdoby na wieczku. W XVIII wieku w Szkocji podawano w nim grzane wino podróżnym zatrzymującym się przed gospodą.

Najstarszy zachowany kufel tego typu pochodzi z 1669 roku.

Type of metal mug with a lid, which owes its name to the protruding decoration on the lid. In the 18th century Scotland tappit hens of mulled wine would be given to coach travellers who stopped outside an inn. The oldest surviving mug of this kind dates back to 1669.

---

tapsalteerie	*topsy-turvy*	bez ładu i składu; do góry nogami
tassie, tass	*a cup, goblet*	kubek, kielich

Craw's Nest Tassie

Puchar amatorskiego turnieju golfowego, który od 1927 roku odbywa się

w miasteczku Carnoustie.

A cup awarded in an amateur golf contest which has been held in the town of Carnoustie since 1927.

---

taste	1. *drink alcohol in small amounts, have a tipple* 2. *a small quantity of alcoholic drink*	1. pić alkohol w małych ilościach 2. mała ilość alkoholu
tattie	*a potato*	ziemniak

Tattie Holidays

Tygodniowe lub dwutygodniowe ferie szkolne w połowie października, nazywane tak, ponieważ dawniej w tym czasie uczniowie

musieli pomagać rodzicom przy wykopkach.

School holidays of a week or a fortnight in mid-October, so called because in the past at that time children had to help their parents lift the potato crop.

SCOTS	ENGLISH	POLISH
tattie bogle	*a scarecrow*	strach na wróble
tattie scone	*a potato scone*	rodzaj trójkątnego placka z mąki i gotowanych ziemniaków
tawse	*a leather punishment strap which was used in schools*	skórzany pas używany dawniej w szkołach do wymierzania kary

Tawse

Pas, którego kiedyś używano do wymierzania kar cielesnych w szkockich szkołach. Najlepsze i najbardziej znane takie pasy produkował zakład z Lochgelly w hrabstwie Fife. *Tawse* był rozcięty na końcu na dwa lub trzy paski, żeby uderzenie bardziej bolało. Można go było kupić w trzech rozmiarach L (*light*) – lekki, M (*medium*) – średni, H (*heavy*) – ciężki i XH (*extra heavy*) – bardzo ciężki. Każdego rozmiaru używano dla innej grupy wiekowej uczniów i w zależności od przewinienia – L i M w szkole podstawowej, a H i XH w szkole średniej. Karę wymierzano i chłopcom, i dziewczętom, uderzając w wewnętrzną stronę dłoni. W 1982 roku Europejski Trybunał Praw Człowieka wydał uchwałę o prawach rodzicielskich w sferze edukacji, która w 1987 doprowadziła do zakazu stosowania kar cielesnych w brytyjskich szkołach. Jednak w większości szkockich szkół kar cielesnych zaprzestano już na początku lat osiemdziesiatych. Paski z Lochgelly są teraz przedmiotem kolekcjonerskim i mogą kosztować nawet kilkaset funtów.

A belt that was used to administer corporal punishment in Scottish schools. The best and best known of these belts were produced by a company in Lochgelly in Fife. The tawse was slit into two or three tongues at one end in order to make its impact hurt more. It could be bought in four sizes: L – light, M – medium, H – heavy and XH – extra heavy. Each size was used for a different age group of pupils depending on the offence – L and M in primary schools, and H and XH in secondary schools. The punishment was applied both to boys and girls by hitting the palm of the hand. In 1982 the European Court of Human Rights issued a ruling on parental rights in education, which in 1987 led to corporal punishment being banned in British schools. However, most Scottish schools had already stopped using corporal punishment in the early eighties.

The Lochgelly tawse is now a collectible and can cost several hundred pounds.

SCOTS	ENGLISH	POLISH
tea	*supper, main evening meal*	kolacja
teem	*see* tuim	*zob.* tuim
teir	*tear, rip*	rwać
telling	*a telling off, a warning, lesson*	reprymenda, nauczka, lekcja
tender	*sickly, in poor health*	chorowity
tent	*1. attention* *2. pay attention to*	1. uwaga 2. zwracać uwagę na (coś)
teuch	*tough*	twardy
teuchter	*1. a contemptuous term for a Highlander, a Gaelic speaker* *2. an uncouth countrified person*	1. pogardliwe określenie na mieszkańca północy Szkocji mówiącego językiem gaelickim 2. ktoś z prowincji, nieokrzesany człowiek, "wieśniak"

Teuchter's Landing

Popularny pub w dzielnicy Leith, w Edynburgu. Położony na nabrzeżu niewielki budynek tego pubu służył kiedyś jako poczekalnia dla podróżnych płynących promem na północ, czyli tam, gdzie mieszkają

'teuchters' – górale, ludzie z prowincji.

A popular pub in Leith, Edinburgh. Located on the quayside, this small building once served as a waiting area for travellers going by ferry to the north, which is where 'teuchters' or highlanders lived.

thae	*those*	tamci, tamte
thaim	*them*	im, nimi
the day	*today*	dzisiaj
thegither	*together*	razem
thir	*1. their* *2. these*	1. ich 2. te, ci
thocht	*a thought*	myśl
thole	*suffer, endure, tolerate*	znosić, wytrzymywać, tolerować
thon	*1. that* *2. those*	1. tamten, tamta 2. tamci, tamte
thoum	*a thumb*	kciuk

SCOTS	ENGLISH	POLISH
thrang	1. a throng 2. crowded, busy	1. tłum 2. zatłoczony, przepełniony
thrapple	a throat	gardło
thraw	1. throw (v) 2. twist (v)	1. rzucać 2. kręcić, obracać
thrawn	1. obstinate 2. twisted, perverse	1. uparty 2. pokrętny, wykrzywiony
threap	1. argue, say firmly 2. an argument, quarrel	1. twierdzić 2. spór
throstle	a thrush (a bird)	drozd
throu	through	przez

throu-ither
  throu-other
	in a state of confusion,
	  untidy, disorganised
		nieporządny, niechlujny,
		  chaotyczny

thunner	thunder	grzmot
ticht	tight	ciasny

ticket	a person dressed in a
	  slovenly, untidy or
	  odd way, a sight
		dziwak, ktoś niechlujnie lub
		  dziwnie ubrany

tid	1. a favourable time 2. a mood	1. odpowiedni czas 2. nastrój
tig	touch lightly	lekko dotknąć

Tim	a derogatory term for
	  a Catholic
		pogardliwe określenie na
		  katolika

timeous	at the proper time,
	  well-timed, timely
		w porę, we właściwym
		  czasie

tirrivee	rage	wściekłość
tither	the other, another	inny, ten drugi, jeszcze jeden
tocher	a dowry	posag
tod	a fox	lis

tod

lis

SCOTS	ENGLISH	POLISH
tolbooth	in the past a building used as a town hall, often including the town prison	budynek, który w przeszłości służył jako ratusz i więzienie

Canongate Tolbooth w Edynburgu

Budynek ten, zbudowany w 1591 roku, służył jako ratusz, punkt poboru podatków, sąd i jednocześnie więzienie. Wielu przetrzymywanych tu więźniów wysyłano na siedem lat ciężkich robót na Karaiby, a po upływie tego czasu dawano im wybór – mogli zostać w kolonii albo wrócić do Szkocji. Jednak przed wyjazdem każdego więźnia naznaczano – kobietom piętnowano twarze gorącym żelazem, a mężczyznom obcinano ucho, aby nigdy nie uwolnili się od przeszłości.

The Canongate Tolbooth, built in 1591, served as the town hall, tax office, court and prison all at the same time. Many of the prisoners held there were sent to seven years hard labour in the Caribbean, after which time they were given a choice: they could stay in the colony, or return to Scotland. However, before departure each prisoner was marked – women had their faces branded with hot irons while men had their ear cut off, so that they could never free themselves from the past.

Old Tolbooth

Nie istniejący już, zburzony w 1817 roku, średniowieczny budynek, który stał na Royal Mile, przy St. Giles Cathedral w Edynburgu. Dziś w miejscu, gdzie było do niego wejście, widać na chodniku serce ułożone z kostki brukowej, nazywane *The Heart of Midlothian*. The Old Tolbooth

pełnił funkcję ratusza, więzienia i miejsca publicznych egzekucji.

A medieval building, demolished in 1817, which used to be situated on the Royal Mile, near St. Giles Cathedral in Edinburgh. Today, at the spot where the entrance to the building was, you can see The Heart of Midlothian – a heart laid out in cobblestones. The Old Tolbooth served as the town hall, a prison and a place of public executions.

Tolbooth w Aberdeen

Budynek z XVII wieku, w którym obecnie mieści się muzeum wystawiające eksponaty związane z więziennictwem. Była tu więziona między innymi słynna w Szkocji czarownica, Janet Walker. Budynek ten ma sławę najbardziej nawiedzonego miejsca w Aberdeen. Wielokrotnie przeprowadzano w nim badania nad zjawiskami paranormalnymi. Został mu też poświęcony jeden z odcinków brytyjskiego serialu dokumentalnego pt. *'Most Haunted'*, który emitowano w grudniu 2009.

A seventeenth-century building that now houses a museum displaying exhibits related to the prison system. Those imprisoned here include the famous Scottish witch Janet Walker.

The building is known as one of the most haunted places in Aberdeen. Research into the paranormal has been carried out here numerous times. It featured in an episode of the British documentary TV series 'Most Haunted', which aired in December 2009.

SCOTS	ENGLISH	POLISH
toom	*see* tuim	*zob.* tuim
toorie	1. *a little tower*	1. wieżyczka
	2. *a pompom*	2. pompon

Toorie

Mały pompon, najczęściej na szkockiej furażerce wojskowej typu Glengarry lub Balmoral albo na szkockim berecie

o nazwie Tam o' Shanter.

A small pompom, usually found on the Scottish military caps such as the Balmoral or Glengarry, or on the Scottish beret known as a Tam o' Shanter.

tottie	*tiny*	malutki
toun, toon	*a town*	miasto, miasteczko

The Lang Toun

Pod taką nazwą znane jest miasteczko Kirkcaldy. Nazwa ta wzięła się stąd, że jego główna ulica jest wyjątkowo długa.

Kirkcaldy is known by this name. It comes from the fact that the town's main street is exceptionally long.

The Honest Toun

Musselburgh zasłużył sobie na tę nazwę w XIV wieku. Jego mieszkańcy przez dłuższy czas opiekowali się śmiertelnie chorym hrabią Moray. Gdy po śmierci możnowładcy jego następca zaoferował mieszkańcom Musselburgha nagrodę za ich lojalność i poświęcenie, ci odmówili, twierdząc że wykonywali tylko swój obowiązek.

Musselburgh earned this name in the fourteenth century. For a long time its inhabitants took care of the terminally ill Earl of Moray. When, after the death of the magnate, his heir offered the residents of Musselburgh a reward for their loyalty and dedication, they refused it, claiming they had only done their duty.

towe	*a rope, string*	sznur
Trades	*traditional two-week local summer holiday for tradespeople*	dwutygodniowa letnia przerwa urlopowa w niektórych miejscowościach (pierwotnie obejmująca przedstawicieli zawodów rzemieślniczych)
traivel	1. *travel (v, n)*	1. podróżować; podróż
	2. *walk (v, n)*	2. spacerować; spacer

SCOTS	ENGLISH	POLISH
trap	*a ladder*	drabina
trauchle	*tiring labour, drudgery*	ciężka praca, staranie, trud
troke	*1. a business deal*	1. handel, interes
	2. trade (v)	2. handlować
tron	*(in past times) a public weighing machine, near a market-place for weighing goods, or a place where it stood*	w dawnych zasach waga publiczna stojąca w pobliżu rynku lub miejsce, gdzie taka waga stała
troot	*a trout*	pstrąg
trowe	*a mischievous fairy, a hobgoblin, a troll*	psotny duszek, goblin, trol

Trowe

W folklorze Szetlandów i Orkadów *trowe* to stwór podobny do skandynawskiego *trolla*, mały, brzydki i psotny. *Trowes* ożywiają się nocą, kiedy to wychodzą ze swoich *knowes* (kopców usypanych z ziemi) i wślizgują się do ludzkich domostw, podczas gdy gospodarze pogrążeni są we śnie. Ponieważ uwielbiają muzykę, niekiedy porywają ludzi, którzy potrafią pięknie grać lub śpiewać. Tylko niektóre osoby są w stanie zobaczyć *trowes*. Dla większości są one niewidzialne. Według jednej z opowieści, pewien mieszkaniec Orkadów zobaczył je tańczące na plaży dopiero wtedy, gdy wziął za rękę swoją żonę, która posiadała zdolność ich widzenia.

Jedna z badaczek folkloru tak tłumaczy powstanie legendy o *trowes*: Kiedy wikingowie podbili wyspy, Piktowie zmuszeni byli pozostawać w ukryciu i tylko nocą wychodzili ze swych kryjówek, by kraść wikingom pożywienie. Ponieważ, w przeciwieństwie do wikingów, byli drobnej postury i można ich było zobaczyć tylko w nocy, stali się z czasem pierwowzorem *trowes*.

In Shetland and Orkney folklore the trowe is a creature like the Scandinavian troll – small, ugly and mischievous. Trowes come alive at night, when they leave their knowes (earthen knolls) and slip into human dwellings while the people are fast asleep. Because they love music, they sometimes kidnap people who can play or sing beautifully. Not everybody is able to see trowes. They are mostly invisible. According to one story, an Orkney man saw them dancing on the beach only when holding his wife's hand, because she was the one with the ability to see the trowes.

A folklorist explains the existence of the trowe legend thus: when the Vikings conquered the islands, the Picts were forced into hiding and only came out at night to steal food from the Vikings. Since, unlike the Vikings, they were small in stature and could be seen only at night, in time they became the archetype of the trowes.

SCOTS	ENGLISH	POLISH
tryst	1. *an appointment to meet, rendezvous*	1. umówione spotkanie, randka
	2. *an appointed rendezvous*	2. miejsce spotkania
	3. *arrange to meet*	3. umówić się na spotkanie
tuil	*a tool*	narzędzie
tuim, teem, toom	*empty (adj, v)*	1. pusty
		2. opróżnić
tuith	*a tooth*	ząb

tuith

ząb

tulyie	*a quarrel, fight, struggle*	walka, awantura, bijatyka
tumshie	1. *a swede*	1. brukiew
	2. *a stupid person*	2. głupek

tumshie

brukiew

tune	*a mood, humour*	nastrój, humor
twa, twae	*two*	dwa

SCOTS	ENGLISH	POLISH
twal	twelve	dwanaście
twine	divide, separate	dzielić, oddzielić
tyauve	strive, struggle, exert yourself	usiłować, wysilać się
tyne	lose	stracić
ugsome	disgusting, horrible	obrzydliwy, ohydny
uncannie	1. dangerous, threatening 2. mysterious	1. niebezpieczny, groźny 2. tajemniczy
unchancie	1. inauspicious, unlucky 2. dangerous	1. niepomyślny, pechowy 2. niebezpieczny
unco	1. unusual, strange 2. very, extremely	1. niezwykły, dziwny 2. bardzo, niezwykle
uncos	1. news 2. unusual things	1. wiadomości, nowiny 2. dziwne rzeczy
unkent	unknown	nieznany
unner	under	pod
unnerstaun	understand	rozumieć
Up-Helly-Aa	a fire festival held in Lerwick on the last Tuesday in January	festiwal ognia odbywający się w Lerwick w ostatni czwartek stycznia

Up-Helly-Aa

Święto ognia, obchodzone na Szetlandach w ostatni wtorek stycznia, na zakończenie sezonu świątecznego *Yule*. Największa tego typu impreza odbywa się w Lerwick, gdzie niemal tysiąc osób, przebranych w rozmaite kostiumy, idzie w pochodzie ulicami miasta niosąc płonące pochodnie. Prowadzącego pochód nazywa się Jarlem. Punktem kulminacyjnym obchodów jest spalenie łodzi wikingów poprzez wrzucenie do niej płonących pochodni. Po spaleniu łodzi zaczyna się całonocna zabawa. Zgodnie z tradycją, w pochodzie w Lerwick mogą brać udział tylko mężczyźni, a ponieważ wielu z nich przebiera się za kobiety, impreza ta doczekała się żartobliwej nazwy 'wtorek transwestytów'.

A fire festival, celebrated in Shetland on the last Tuesday of January, at the end of the Yule season. The largest event of this kind is held in Lerwick, where almost a thousand people, dressed in various costumes, go in procession through the streets of the town carrying burning torches. The leader of the procession is called the Jarl. The highlight of the celebrations is setting fire to a Viking longship by throwing torches into her. After the boat is burned, all-night fun starts. According to tradition, only men can take part in the Lerwick procession, and because many of them dress up as women, the event has earned the jocular name 'Transvestite Tuesday'.

SCOTS	ENGLISH	POLISH
ur	*are*	
urnae	*are not*	
vennel	*an alley, lane*	uliczka, alejka
verra	*very*	bardzo
vice	*a voice*	głos
virr	*energy, force*	energia, siła
vivers	*food, provisions*	jedzenie, żywność
vizzie	1. *to look at carefully, examine*	1. przyjrzeć się
	2. *a look, glimpse*	2. rzut oka
voar	*spring*	wiosna
voe	*an inlet of the sea, a fjord*	wąska zatoczka, fjord
vratch	*a wretch*	drań, łobuz
wa	*a wall*	ściana
wabsteid	*a website*	strona internetowa
wabbit	*exhausted, weak*	wykończony, zmęczony, słaby
wad	*would*	
wadna	*would not*	
waik	*weak*	słaby
wait on	*wait for*	czekać na (coś, kogoś)
wale	*choose*	wybierać
wallies	*false teeth*	sztuczna szczęka
wally, wallie	*made of porcelain*	porcelanowy
wame	*a belly*	brzuch
wan	*see* ane	*zob.* ane
wandert	*confused, bewildered, mentally disordered*	zagubiony, oszołomiony, zdezorientowany
wappen	*a weapon*	broń
wappenshaw, wapinschaw	*a rifle-shooting competition*	zawody strzeleckie
war	*were*	
wark	*work (n, v)*	1. praca
		2. pracować
warld	*a world*	świat

SCOTS	ENGLISH	POLISH
warsle	1. *wrestle* 2. *manage to do something by great effort* 3. *try hard, exert yourself, struggle*	1. walczyć, mocować się 2. zrobić coś z wielkim trudem 3. bardzo się starać, wysilać się
wast	*west (n, adv, adj)*	1. zachód 2. na zachód 3. zachodni
waste	1. *damage, spoil* 2. *spoil, pamper (a child)*	1. uszkodzić, zepsuć 2. rozpieszczać (dziecko)
water	*a river*	rzeka
wather	*see* wither	*zob.* wither
watter	*water*	woda
waucht	*a gulp of a drink*	łyk
waur	*worse*	gorszy
wean	*a child*	dziecko
wecht	*weight*	waga, ciężar
wee	*small, little*	mały
a wee	*a small quantity*	trochę
Weegie, Weedgie	*a derogatory Edinburgh name for anybody from Glasgow*	pogardliwe edynburskie określenie na mieszkańca Glasgow
weel	*well*	dobrze, zdrowy
weel-kent	*well-known*	znany
weet	1. *wet* 2. *rain (n)* 3. *rain (v)*	1. mokry 2. deszcz 3. padać (o deszczu)
weir	*wear (v)*	nosić na sobie
weird	*fate, destiny*	los, przeznaczenie
wersh	1. *tasteless, insipid* 2. *too sour*	1. mdły, bez smaku 2. zbyt kwaśny
wester	*western, westerly (now mainly in place names, e.g. Wester Ross, names of farms etc.)*	zachodni (obecnie używane głównie w nazwach geograficznych)
wha, whae	*who*	kto
whan	*when*	kiedy
whang	1. *a thong, a strip of leather* 2. *a long stretch of narrow road*	1. rzemień, pasek skóry 2. dłuższy odcinek wąskiej drogi

SCOTS	ENGLISH	POLISH
▶the Lang Whang	*the old Edinburgh to Lanark road, especially between Balerno and Carnwath*	stara droga łącząca Edynburg z Lanark, zwłaszcza odcinek pomiędzy Balerno a Carnwath
whase	*whose*	czyj, czyja
what way	*1. how* *2. why*	1. jak 2. dlaczego
whaul	*a whale*	wieloryb

whaul   wieloryb

whaup	*1. a curlew* *2. a seed-pod*	1. kulik (ptak) 2. strąk (np. fasoli)
whaur	*where*	gdzie
wheech	*move very quickly*	szybko się poruszać
wheen, a wheen	*several*	kilka
wheesht, haud yer wheesht!	*be quiet!*	cicho bądź!
whigmaleerie	*1. a decoration, ornament* *2. a whim, fanciful idea*	1. ozdoba, dekoracja 2. kaprys, dziwaczny pomysł
whiles	*sometimes*	czasami
whilk	*which*	który
whit	*what*	co
whit like?	*what sort of?*	jaki rodzaj?
whitna?	*what kind of?*	jaki rodzaj?

The Lang Whang

Potoczna nazwa na wyjątkowo prosty, biegnący przez pustkowia odcinek drogi A70 między Carnwath a Balerno. Droga ta częściowo biegnie przez wrzosowiska, kilkakrotnie wznosi się na wysokość około tysiąca stóp (ok. 304 m) nad poziomem morza, co oznacza, że rozciągają się z niej malownicze widoki, ale również, że jest wystawiona na działanie wiatru i śniegu. W związku w tym warunki do jazdy bywają tam bardzo utrudnione. The Lang Whang uważana jest za jedną z najbardziej niebezpiecznych dróg w Szkocji; znajduje się na niej kilka czarnych punktów.

Podobno drogą tą podróżował między rodzinnym Ayrshire a Edynburgiem Robert Burns, zatrzymując się w gospodzie The Wee Bush Inn w Carnwath. Burns znany był z tego, że w miejscach, gdzie gościł, ozdabiał szyby okienne strofami swych wierszy, jednak wedle anegdoty jedynym tekstem, jaki był w stanie wyryć na szybie w Wee Bush było: 'Lang Whang, Lang Whang, cholerny Lang Whang'.

Z The Lang Whang korzystali również mordercy Burke i Hare, by dostarczać ciała swych ofiar do Edynburga, gdzie sprzedawali je uczelni medycznej jako materiał do przeprowadzania sekcji zwłok. Droga ta ma także związek ze spotkaniem z UFO, czyli tak zwanym 'przypadkiem A70'. W sierpniu 1992 roku dwaj mężczyźni podróżujący z Edynburga do Tarbrax podobno doświadczyli tu spotkania z UFO. Odbywszy sesję regresji hipnotycznej, twierdzili oni, że zostali czasowo uprowadzeni i poddani badaniom przez istoty z kosmosu.

The colloquial name for the straight and lonely stretch of the A70 road between Carnwath and Balerno. Much of it runs across moorland ascending several times to about 1,000 feet above sea level, which means it offers scenic views but also that it is exposed to the wind and snow. Therefore the driving and cycling conditions there can be quite hard. The Lang Whang is considered one of the most dangerous roads in Scotland, with a number of accident black spots.

According to tradition, Robert Burns used to travel along this road between his native Ayrshire and Edinburgh, stopping at The Wee Bush Inn in Carnwath. Burns was known for etching lines on windowpanes in places he visited but, according to one story, the only thing he engraved on the window in the Wee Bush was 'Lang Whang, Lang Whang, Lang bloody Whang'.

It was also a road along which the murderers Burke and Hare transported the bodies of their victims to the capital where they sold them as dissection material for the Edinburgh Medical College.

The road is also connected with a UFO incident known as the 'A70 case'. In August 1992 two men travelling from Edinburgh to Tarbrax allegedly experienced an encounter with a UFO. Having undergone hypnotic regression they claimed that they had been abducted and examined by alien creatures.

SCOTS	ENGLISH	POLISH
whit wey	1. *how* 2. *why*	1. jak 2. dlaczego
whusper	*whisper (n, v)*	1. szept 2. szeptać
wi, wi'	*with*	z (kimś, czymś)
widdershins	*against the direction of the sun, anticlockwise, the wrong way round*	przeciwnie do ruchu wskazówek zegara, na opak, odwrotnie
wife, wifie	*a woman*	kobieta
win to / tae	*reach, arrive (at)*	przyjechać, przyjść (gdzieś)
windae	*a window*	okno

**windae
okno**

Pick a Windae, Ye're Leavin'

Dosłownie: wybierz okno, bo zaraz wychodzisz.

W Glasgow zdanie takie może usłyszeć klient w pubie, który niewłaściwie się zachował i za chwilę zostanie wyrzucony.

What Glaswegians say when a customer in a pub has caused offence and is about to be removed from the premises.

Windae-hingin

(Siedzenie w oknie)

Ulubione zajęcie pań mieszkających w kamienicach. Z łokciami na parapecie, potrafią godzinami obserwować, co dzieje się na ulicy i zagadywać przechodniów.

A leisure pursuit for ladies in tenements. With their elbows on the sill, they can watch the world go by and talk to passers-by for hours.

SCOTS	ENGLISH	POLISH
winna	*will not*	
wir	*our*	nasz
wird	*a word*	słowo
wirk	*work (n, v)*	1. praca 2. pracować
wirm	*a worm*	robak
wirricow, worricow	*a demon*	demon
wis	*was*	byłem, był
wisnae	*was not*	nie byłem, nie był
wiss	*wish (v ,n)*	1. pragnąć, życzyć sobie 2. życzenie
wither	*weather*	pogoda
wittins	*information, news*	informacje, wiadomości
wrang	*wrong (adj)*	nieprawidłowy
wuid	*wood*	las, drewno
wull	*will*	
wur	1. *our* 2. *were*	1. nasz 2. byłeś, byliśmy, byliście, byli
wurnae	*were not*	nie byłeś, nie byliśmy, nie byliście, nie byli
wynd	*narrow street or lane leading off a major street*	wąska uliczka odchodząca od głównej ulicy

---

Wynd

Wąska, zwykle kręta alejka pomiędzy budynkami, łącząca dwie ulice. Często jest ona bardzo stroma, ponieważ łączy ulice znajdujące się na różnych poziomach.

A narrow, usually winding lane between buildings which joins two streets. Wynds often link streets at different heights, therefore they can be quite steep.

---

wyte	1. *blame (v, n)* 2. *accuse*	1. wina; obwiniać 2. oskarżać
yalla	*yellow*	żółty
ye	*you*	ty
yer	*your*	twój, twoja
yersel	*yourself*	1. się, siebie 2. sam, sama

SCOTS	ENGLISH	POLISH
yestreen	*yesterday evening*	wczoraj wieczorem
yett	*a gate*	brama

yett

brama

yeukie	*itchy*	swędzący
yill	*ale*	piwo typu "ale"
yin	*see* ane	*zob.* ane
yird	*earth*	ziemia
yirdit	1. *buried (in a grave)* 2. *filthy*	1. pochowany (w grobie) 2. brudny
yite, yellayite	*yellowhammer (bird)*	trznadel
yon	1. *that* 2. *those*	1. tamten, tamta 2. tamci, tamte
yon time	*a long time from now, a lot later*	dużo później
youse	*you (plural)*	wy
Yule	*Christmas*	Boże Narodzenie

Yule

Pogańskie święto przesilenia zimowego, trwające mniej więcej od 20 grudnia do 13 stycznia. Słowo to pochodzi od staronordyjskiego '*jól*'. *Yule* pojawiło się na terenie obecnej Szkocji wraz z norweskimi wikingami, którzy w VIII wieku osiedlili się na Szetlandach i Orkadach. Do tradycji związanych z *Yule* należało dekorowanie domu zielonymi gałązkami, jak również czczenie ognia, na przykład poprzez palenie gigantycznych ognisk na szczytach wzgórz jako symbol odrodzenia życia i sposób na odpędzenie złych mocy. *Yule* bowiem to nie tylko czas, kiedy powraca na ziemię światło, ale i czas, gdy duchy zmarłych nawiedzają swych krewnych. Dlatego też niektóre obyczaje, obecnie kojarzone z Bożym Narodzeniem, pierwotnie służyły ochronie przed złymi mocami. W czasie *Yule* nie tylko zmarli wracali na ziemię, ale i wychodziły ze swych ziemnych kopców złośliwe trowes. Aby ochronić siebie i zwierzęta domowe przed ich szkodliwym działaniem, gospodarz wieszał u wejścia do obory warkocz upleciony w włosia z ogonów swoich krów i koni. Znane są też przypadki ofiarowywania duchom i złym istotom jedzenia i picia, aby je obłaskawić.

Pagan celebration of the winter solstice, which lasted roughly from 20 December to 13 January. The word comes from Old Norse 'jól'. Yule arrived in what is now Scotland along with the Vikings, who settled in Orkney and Shetland in the 8th century. Yule traditions included decorating the house with greenery, as well as fire worship, such as lighting massive bonfires on hilltops to symbolise the rebirth of life, and to strip evil of its power. Thus some customs nowadays associated with Christmas originally served as protection against the forces of evil. At Yule, not only did the dead come back to earth, but malignant trolls emerged from their earthen mounds. To protect themselves and their animals from harm, farmers would hang braids of hair woven from the tails of their cows and horses up at the entrances to barns. There were also examples of offering food and drink to spirits and evil creatures to render them harmless.

Index to articles

Index to recipes

Also from Steve Savage Publishers

Buchan Claik
The Saat an the Glaar o't
by Peter Buchan and David Toulmin
(a Gordon Wright title)
ISBN 978-0-903065-94-8 Paperback RRP £12.95
Second enlarged edition of this splendid hoard of words, sayings, proverbs, rhymes and reminiscences from North-East Scotland.

Scots Proverbs and Rhymes
by Forbes Macgregor
(a Gordon Wright title)
ISBN 978-0-903065-39-9 Paperback RRP £2.25
Over five hundred Scots proverbs with a Scots glossary, as well as a collection of Gaelic proverbs with translations.

Gaelic Verbs
Systemised and Simplified
by Colin Mark
ISBN 978-1-904246-13-8 Paperback RRP £14.99
'Every learner should buy this book and scrutinise it, for there is nothing more important than verbs, and there is no corner of the subject unilluminated by Colin.'
– Ronald Black, *The Scotsman*

Blasad Gaidhlig
A Taste of Gaelic
by Donald MacLennan
ISBN 978-0-903065-06-1 Audio cassette & booklet RRP £9.99 inc VAT
Audio cassette tape of Gaelic phrases for beginners with transcription booklet. Recorded by Donald MacLennan, a native of Scarp, who spoke very clear Gaelic.

Available from bookshops or directly from the publishers.

For information on mail order terms, see our website (www.savagepublishers.com) or write to: Mail Order Dept., Steve Savage Publishers Ltd., The Old Truman Brewery, 91 Brick Lane, LONDON, E1 6QL.